雪と珊瑚と

梨木香歩

角川文庫
19168

雪と珊瑚と

1

珊瑚《さんご》が初めてその小さな貼り紙を見たのは、散歩中、それまで通ったことのなかった住宅街の道へ入ってしまったときだった。

赤ちゃん、お預かりします。

ごく普通の、というより、昔は普通だった、下見板張りの古びた家で、とても託児所を名乗っているような外観ではなかった。家を囲っている塀は、これもまた、建てられた当時はありふれた、それから時を経てある一時期は流行に敏感な人々から疎んじられた、けれど今となっては郷愁すら漂わせる古いセメントブロックで、そのところどころ透かしてある模様の向こうに、濃い緑の植木が見え隠れしていた。肩をすくめているような葉っぱの様子から、草木の勢いのよさが窺《うかが》われた。

珊瑚は今年、二十一歳になった。二十歳の時に結婚して、一年そこそこで離婚した。

赤ん坊の雪は、ようやくお座りができるようになったばかりだ。働かなければならないので、公立の保育園に入園申請をしたが、時期外れらしく、どこも満員だと言われた。個人経営の託児所も、今は無理と断られた。とうてい雪が赤ん坊の間に順番が来るようには思えない。先行きの見通しの立たなさに、もたもたとして焦るばかりの毎日、ただでさえ少なかった貯金はみるみる底を突いてきた。

一人だったらそれでも、これほど心細くはならなかっただろう。

高校を中退した後、出産のために辞めるまで、ずっと同じパン屋で働いてきた。中退したのは親が授業料を払わなくなったからだ。以来親にも頼らず、家を出て自力で生活してきた。結婚した相手は同い年で定職もなく、いっしょに暮らした期間は短かったが、その間も珊瑚の稼ぎで生活していたようなものだった。

どんなときでも、自分さえしっかり頑張れば大抵のことは何とかなる、現に何とかなった、自分の力でやってきた、という自負と確信のようなものが珊瑚にはいつもあったのだ。それなのに、貰《もら》いものの重いバギーに雪を乗せ、向かい風の吹く中を散歩しているうち、気がつけば下を向いて泣いていた。

自分は泣いているのだ、と気づくのに、一瞬間があった。「泣く」という行為が、かつて自分のとろうとする行動の選択肢にあったためしはなく、とった行動にあったためしもなかった。珊瑚のこれまでの人生では、泣いたところでどうなるような事態などなかったし、とにかく次に打つ手を考えなければならない逼迫《ひっぱく》した状況のオンパレードだったのだ。そんな役に立たないエネルギーなど使う暇はなかった。

だから、あ、自分は今泣いているのだ、と気づいたときのショックは、ちょっとしたものだった。涙が頬を伝って流れる、という感覚に、これはよほど追い詰められているのかもしれない、と他人事《ひとごと》のように思い、拭《ぬぐ》うこともせずに感慨にふけっていたら、先方から通行人が歩いてくるのに気づき、慌てて曲がった道だった。

赤ちゃん、お預かりします、と丁寧に書かれたその情報量の少ない貼り紙には、いい加減さと鷹揚《おうよう》さが混在して、仄《ほの》かな温かさを醸しているように感じられた。杓子《しゃくし》定規な「定員数」や「規定」を盾に冷たく門前払いされ続け、それが気づかぬ間に実はひどく応《こた》えていた珊瑚の心には、その言葉が、まるで体に欠けていた栄養素のようにすうっと入ってきたのだった。

まだ若いとはいえ、その素人っぽい「赤ん坊預かり」に潜んでいるかもしれない様々な危険への思惑が、珊瑚の心をよぎらないわけではなかった。だがそれもこれも、全部可能性として承知して、相手を確かめたくなった。これはいけない、と思ったら、すぐに出てくればいい。そう思い切って、表札の下の呼び鈴を押す。表札には、「藪内《やぶうち》」と書いてあった。

一回押して、それからもう一度押そうと指を呼び鈴に置いたときに、玄関の奥で物音がし、がらりと曇り硝子《ガラス》の引き戸が開いた。

「こんにちは」

中から出てきた年配の女性が微笑みながら首を傾げた。ご用は何ですか、と訊《き》かれた気がして、あの、と、声を出そうとしたら、しゃくり上げそうになったので、慌てて横隔膜を下げ、慎重に発声した。

「貼り紙を見たんですけど」

「ああ、どうぞ、中へいらっしゃい」

女の人は、まるでいつも顔を合わせている近所の知り合いにでも言うように、珊瑚を招き入れた。


入ってすぐの三和土《たたき》には、女の人が履いていたサンダル以外、履物の類《たぐい》が一つもなかった。珊瑚はこういう玄関に入るのは初めてだった。珊瑚の知っている家の玄関はみな、靴であふれ返っていた。すっきりとした空間が、ずっと自分だけを待って、まっすぐ迎えてくれているような気がした。

雪はよく寝ていた。バギーに留めていたバックルを外して、雪の温かい両腋《わき》に手を差し入れて持ち上げ、すぐに右腕を尻《しり》の下へ回し、小さいわりに重い頭が、がくんと向こう側に落ちるのを左手で支え起こし、軽く胸に押し当てた。

女の人は、奥から座布団を三つ、持ってきた。どうぞ、こちらにいらっしゃい、と言ってすぐ右の部屋に入っていった。珊瑚も上がってあとに続いた。簡素な座卓が一つあり、座布団が二つ、そして反対側に一つ置いてあった。女の人は、二つ座布団が並べられた方の一つに、屈《かが》んでバスタオルをかけていた。そして、珊瑚を振り返り、そうっと降ろしてみたらどうかしら、と勧めた。珊瑚は頷《うなず》いて、自分の胸ごと赤ん坊を傾けて徐々に下に降ろし、バスタオルの上に置くと、そのまましばらく自分もじっと屈み込んだまま様子を見、よし大丈夫だと思うと、少しずつ体を起こして赤ん坊から離れた。赤ん坊は寝入ったままだ。それを確認すると、女の人の方へ向き直り、期せずしてそこで、彼女と共犯めいた微笑みを交わした。相手は心持ち小声で、

「お名前は？」

「山野珊瑚といいます」

「え？」

珊瑚はこういうふうに訊き返されるのに慣れていた。

「サンゴ礁の、珊瑚、です」

「片仮名で？」

「いえ、漢字です」

「あらすてきですね」

「母が若い頃、私を産む前、祖母の形見の珊瑚の簪《かんざし》を質に入れたんだそうです。結局そのまま質草は流れてしまって。で、生まれた子につけた名前が、珊瑚」

初対面の人に名を面白がられたとき、こんな、いかにも昭和らしい話を、珊瑚は冗談めかして話してきたが、実際の話である。ただ、ちょっと笑いながら言うことで、今ま

では冗談として通してきたけれど、今回は笑わずに言った。しかも言うつもりもないことまで、珊瑚の口から出てきた。

「母は結婚せずに私を産みました。そういうこと、うまくいかないのは、親譲りみたいです。私は結婚しましたけど、すぐに離婚しましたし」

女の人は、微笑んだままうなずいた。それで少し、珊瑚は気持ちが楽になった。

「この子は雪。生まれたとき、窓の外に雪が降り始めたのを見て、名づけました。そのとき、とても嬉《うれ》しくて。雪が天から降りてきてくれたみたいで。行き当たりばったりみたいに聞こえるかもしれませんが、質草の名前よりはいい、と思ってます」

「そうですね。でも、珊瑚も素敵ですよ。お母様はきっと、形見の簪の珊瑚がなくなっても、あなたさえいればいい、って思われたんじゃないかしら」

「……そうでしょうか」

珊瑚はちょっと首を傾けて伏し目がちになった。

「そうは思えません」

女の人は、それ以上その話は聞かないことにしたようで、

「私の名前は、藪内くらら、って言います」

「え？　素敵じゃないですか」

「小さい頃外国にいたんです」

「いいなあ」

「そう？　でも、珍しい名前だから、日本に帰ってからはからかわれたこともありましたよ。くぅーらぁらぁって、アルプスの少女、ハイジの真似をして叫ばれるの」

「ああ、やりそう」

「ね？」

珊瑚とくららはそこで同時にクスッと笑った。

「で？」

「ああ」

珊瑚は急に笑いを引っ込めた。

「働かなきゃいけないんですが、雪がいると働けない。預けるところを探していたんです」

くららは黙って頷いて、

「……働くところは決まってるんですか」

「以前、勤めていたパン屋を、もう一度当たってみようと思っています。子育てが一段落したらまたおいで、って言ってくれていたし。新しい子に一から教えるより、全部呑《の》み込んでいる人間の方がいいだろうし……」

「じゃあ、まず、そのパン屋さんで本当に働けるかどうか、訊いて確認してみなければなりませんね。パン屋さんといったら朝は早いんでしょう。時間帯は、大体……」

「パン屋の御主人は、朝の四時から働いているんです。私、独身のときは六時から出勤してました。六時からだと、たいていの人は午前中で帰るんですが、私は午後まで働いていました。でも、雪がいるから、これからは九時からの組にしてもらおうと思います」

くららは珊瑚の抱えている状況を、自分の中に組み込んでいこうとしているかのようにゆっくりと頷き、

「雪ちゃんはもう離乳食かしら」

「ええ、柔らかめに煮て潰《つぶ》した野菜とかもあげていますが、大体は母乳です」

「じゃあ、母乳用の保存袋にお乳を入れて持って来てもらいましょうか。そんなものがあるって、私、最近初めて知ったんだけれど。それで母乳の冷凍保存もできるんですってね。どんなものか分からないけど、試してみる価値はあると思います。だめだったら粉ミルクにしたらいいんだし」

「私も聞いたことはありますけど、見たことはありませんでした。でも、きっと薬局とかで売ってるでしょうから、今度持ってきます」

珊瑚の声が、心持ち、明るくなった。

「何かほかに持ってきた方がいいものはありますか。着替えとか、おもちゃとか……」

「それはこっちで、何とかします。こういう仕事をするのだったら、いつか備えておかなければならないことですしね」

それを聞いて、珊瑚はいったん頷いたが、次第に表情に軽い翳《かげ》のようなものが差し始

める。

「あの、失礼ですけど、こういうお仕事……」

珊瑚の不安そうな顔を、くららは気の毒そうに見遣《みや》った。

「そうなの。初めてなの。でも、子どもは昔から好きだったんですよ。最近子どもを預けるところが不足しているって聞いて、昔は近所で預かってくれるところがよくあったものだわ、って思い出しているうちに、やってみようかしらって気になったんです。積み木をしたり、お絵かきしたり、本とか読んであげたり公園へ行ったり、この寂しい家に子どもが走り回って、って考えると楽しくなってきて。一人か二人だったら、なんとかなるわって思ったんですけど……」

珊瑚の不安そうな表情はまだ消えない。

「やれないことはないと思いますよ。私で対処できないようなことが起こったら、すぐに病院なり連絡しますし」

くららは、慰めるように言った。珊瑚も今度は微笑んで頷いた。実は第一印象からくららを信頼していたのだが、それは自分には珍しいことだったので、どこか半信半疑だったのだ。けれど、雪に、自分以外の信頼できる大人がいる、というのは大切なことのように思えた。特に父親がいない以上、母親以外の大人としっかりした関係を結ぶということでは、何十人もの子どもといっしょに入れられる保育所より、むしろ、いいかもしれない。

「あら」

　くららの声で、その視線の先を見ると、雪が眼をぱっちりと開けていた。くららは目を細めて、

「まあ、なんてかわいらしい」

　と言った。そして、軽く内側に曲げた手のひらで、雪のわき腹辺りを、ぽん、ぽん、と叩《たた》いた。その仕草を見て、珊瑚は、自分の気持ちまで落ち着いていくような気がした。だが、雪はくららが目に入ると大声で泣き出した。くららはその声に動じず、

「いいお声」

　と言って、雪を抱き上げた。雪は体を反らしてますます大きな声で泣く。くららは雪を抱えたまま、珊瑚の横に移動して、

「はい、おかあさんよ。大丈夫よ」

　と、珊瑚に雪を渡した。雪は途端に泣き止んだ。その現金さに、二人ともちょっと笑う。

「人見知りが始まってるのね」

「そうみたいです。大丈夫でしょうか」

　おむつが濡《ぬ》れていないことを確かめながら何気なく言ったのだが、くららは珊瑚がはっとするほどしっかりした声で、

「大丈夫でも、大丈夫でなくても、預けないといけないのでしょう、働くためには」

その通りなのだった。

「でも、じきに慣れてくれると思うわ――きっと。それまで出来るだけいらしてください。雪ちゃんの警戒心を解くためにも」

くららはすっかり預かるつもりでいるようだった。

「はい、そうさせていただきます」

珊瑚も心は決めた。けれどまだ実際的なことは何も相談していない。

「それで、あの、おいくら……」

「ああ」

くららはぽっと頰を紅潮させた。

「そんなわけで、私は別に資格があるわけでもないし……。あなたがお給料をもらうときまで、テスト期間というので、とりあえずはどうかしら」

「それでいいんですか」

「今のところは。あなたがいっぱい稼ぐようになったら、たっぷり請求します」

ええ、そんなときがきたら、と珊瑚は言いながら笑い、笑いながら、ほっとしてありがたくてまた涙ぐみそうになって困った。一方で、こんなことがあるわけがない、これは何かの罠《わな》ではないのか、と疑う慎重さがまだ珊瑚の中にはあり、少し混乱もしていた。

その日それから珊瑚たちがくららの家から帰宅すると、ちょうど同じアパートに住む助産師の那美《なみ》と入口で会った。那美も帰ったところだった。久しぶりだったので、そのまま那美は珊瑚たちの部屋に上がり込み、買ってきた豆大福を座卓に置き、雪の世話をしている珊瑚に構わず自分でお茶を沸かし始めた。珊瑚は今日の出来事をかいつまんで話した。

「それにしても、まさか自分が泣くなんてさあ、びっくりしたよ、もう」

と、しみじみ呟《つぶや》いた。

「子どもを産むときは、体中を開いて緩ませないといけないからね、涙腺《るいせん》も緩むのよ」

那美は訳知り顔で頷《うなず》きながら、湯呑《ゆのみ》と急須《きゅうす》を手に座卓に着いた。

「涙腺？」

「加えて感情の起伏が激しくなるんじゃないかな。非常時の大仕事のあとで、まだはぁはぁ息を整えている感じ」

「そうかなあ。もう半年以上過ぎてるのに？」

「だから……」

と、那美は続けようとして口ごもった。離婚のことを言おうとしているのだ、と珊瑚は感づいたが、那美は気を変えたらしく、

「それで雪、預けることにしたんだ」

「うん。いい人だしね」

「雪、その人のこと、気に入ってるの？」

珊瑚は首を横に振った。

「抱かれたら大泣きに泣いた」

那美はため息をついた。

「だめじゃん」

「人見知りするんだ」

「うそ」

そう言って那美は、仰向《あおむ》けになって体を揺すりながらおしゃぶりで遊んでいる雪に覆い被《かぶ》さるようにして、

「ゆーきー」

と言って抱き上げた。途端に雪の顔がしわくちゃになり、大きく息を吸う。これは大声の準備だ。

「うわ、だめだ」

慌てて珊瑚に雪を押しつける。雪はエンジンを全開にする手前で切ったような、妙な声を出して緊張を解く。

「ほんとだ。この私にも人見知りするなんて。ショック。雪、私を誰だと思ってるの。あんたをとり上げたのはこの私なんだからね」

「最近、那美、忙しかったからね、あまり会ってなかったでしょ」

珊瑚はそう言って慰めた。

お金がなかったので、雪の出産は、近所にある助産師養成学校に通っていた那美に頼んだのだった。那美は当初――当然のことだが――尻込《しりご》みして断った。「お産って、何が起こるか分かんないんだよ、判断を間違えれば、大変なことになるんだよ」。「でもね、病院や助産院へ行くと少なくても三十万はかかる。産んでからしばらく私は働けない。少しでも浮かせるお金があるのだったら、生活費に回したい。練習だと思って。たまたま私の部屋に居合わせたときに、お産が始まって、しょうがなかったんだって、思えばいい」。珊瑚は粘りに粘って那美を説得した。しまいには那美もしぶしぶ応じた。ちょっとでも危ないと思ったら、すぐに柿坂《かきさか》さんを呼ぶからね、と那美は何度も珊瑚に念を押し、産室になる四畳半一間の、小物箪笥《だんす》の上に、携帯電話を重々しく置いた。柿坂さんというのは、今年七十八になるベテランの助産師の名前である。近くに住んでいる。けれどプロの彼女を呼んだら、なにがしかでもお金を払わずにはすまなくなる。だからそれは最後の手段。

雪は親孝行な赤ん坊だった。あらゆるリスクの波をかいくぐり、元気な産声を上げた。「もうちょっとゆっくり出させるべきだったよ、ごめんね、痛かったでしょう」と、申し訳なさそうに言う那美を、「そんなことは大したことではないよ、ありがとう、ほんとに」と珊瑚は疲れて弱弱しい声でねぎらった。

それが七ヵ月ほど前の話だ。今は那美も助産師国家試験に合格し、病院の産婦人科で働いている。夜昼ない職場なので、帰宅すると一番に寝てしまい、こうして珊瑚たちの部屋へ遊びに来ることなど、本当に稀《まれ》になってしまった。あのときはお世話になったね え、お礼もまだ出来てないけど、と珊瑚が謝ると、いいよ、いい経験になったよ、と雪をあやしながら那美は寛容にうなずく。珊瑚は、

「そうだ、ちょっと雪を見ててくれる？　私、パン屋に電話してくる」

「私の携帯使えばいいのに」

那美の言葉に、珊瑚は微笑んで、ありがと、と返し、けれどそのまま立ち上がって部屋を出ていった。途端に背後に雪の泣き声が響いた。だが今は仕方がない。

階段の横にピンクの公衆電話がある。今は皆、携帯電話をもっているので、この公衆電話を使うのは珊瑚くらいのものだ。パン屋に電話する。出たのは奥さんの雅美《まさみ》さんで、珊瑚が挨拶《あいさつ》すると、声のトーンを上げて懐かしがった。だが、実は職場復帰をしたいのですが、と珊瑚が近況報告から本題に入ると、

「あなたが来てくれたら大助かりは大助かりよ。でも、せっかく来てくれても今はねえ……」

と口ごもった。

「え？」

「店を閉めようと思ってるの、今年いっぱいで」

「え？　おやめになるんですか？」

珊瑚は受話器を耳に当てたまま、愕然《がくぜん》とする。急に辺りが寒々と感じられた。

「そう。ニュージーランドへ行くの、私たち」

「え？」

珊瑚はそこがどこにあるか、すぐには見当がつかない。国の名前であることは分かる。

「友だちが向こうに住んでいるんだけど、とてもいいところなんだって。ずっと聞かされているうちにその気になっちゃったの」

「はあ」

「だから、来年以降もずっと働いてもらうってことは出来ないんだけど、それでよければ」

まさかこんな展開になっているとは思わなかった。けれど、そうなる可能性だってあったのだ。パン屋がなくなる可能性。このパン屋が当然永久にあり続けるように思っていたのはなぜだろう、と珊瑚は頭のどこかで思いつつ、

「今は、ちょっとの間だけでも、働かせてもらえたら、有り難いです」

「それならこちらも御の字よ。ちょうどパートの人がやめるって言い出したところだったの」

では、来週から、ということになり、通話を切った。急いでアパートの廊下を戻る。雪の泣き声がだんだん大きくなる。ドアを開けると、那美が自分も泣きそうな顔をして、雪をあやしていた。

慌てて雪を抱きとると、途端に泣き止んだ。だが、しゃくり上げている。

「ごめんごめん」

「本当に人見知りなんだねえ」

那美はわざと悲しそうな顔をつくった。

「で、パン屋どうだった？」

「来年、やめるんだって」

「え？　どうすんの、それじゃ」

「今年いっぱい働かせてもらって、その間、次を考える」

そうかあ、と言って、那美は豆大福の残りに手を伸ばした。

一階の奥、四畳半の部屋だが、どういうわけか、一畳半ほどの板の間が――友人は、ピアノが置いてあったのだと言うが、そんなものがこんな部屋に置いてあったとはとうてい思えない――ついているので、実質は六畳ほどの広さがある。木製のドアを開けたところが、玄関と言えば玄関だが、そのすぐ右手に、流しと、コンロが一つ置けるだけのスペースがある。コンロの下は下駄《げた》箱だ。台所と呼ぶほどのものでもないが、これで結構いろんな料理をつくってきた。共同廊下の反対側の奥には共同のトイレとシャワー室がある。アパートを出て歩いて数分のところに銭湯もある。高校を中退して家を出ようと決心したとき、初めて不動産屋に入った。不動産屋が勧めてくれたのがこの部屋だ。外から見た目も中もボロボロだったが、なんといっても家賃が安かった。高校をやめて働いたら――もしかしたらやめなくても――十分借りられる額だった。がらんとして寒々しいスペースだったが、自分の居場所を保証してくれるような優しい空間に見えた。
　雪の父親になる男と出会ったのはそれから間もなくで、やがて半同棲《どうせい》のような生活が始まった。同い年の、男というよりまだ少年だった。赤ん坊ができた、と分かったとき、珊瑚は、よし、と思った。これから新しい人生が始まるのだ、と身が引き締まる思いがした。新しい人生とは、赤ん坊のそれなのか、自分のそれなのか、珊瑚は分けて考えることをしなかったが、産むことでようやく、社会や、そこで生きていくことと、ちゃんと関われる気がした。今までずっと、「本当に起こっていること」の外側で生きている気がしていた。だが、妊娠のことを打ち明けると、みな、珊瑚自身より動揺し、当惑しているように見えた。それまで自分に夢中のように見えた男は――男の名は泰司《やすし》といった――、妊娠を知るとうろたえたが、珊瑚は結婚してくれなければ困る、と強気で泰司に迫った。赤ん坊の人生の、そもそも最初のところで、本人を特殊な立場にしたくなかった。自分は他の子とは違うのだという疎外感を味わわせたくなかったのだ。泰司は珊瑚の勢いに押され、変だよこれ、と言いながらもしぶしぶ入籍した。なんだかんだ言っても、どこかで珊瑚の必死さに共感していたのかもしれない。入籍にはこだわったが、泰司を縛り付けておく気はさらさらなく、彼に「父親たる自覚」を迫ったこともなかった。そこまで他人に甘えられるとは思っていなかったのだ。泰司はまだ他人だった。かなり親しくなった、他人だった。

結婚したと言っても、式も挙げなければ、互いの親にも言わずにいたので、そもそも現実感はあまりなかった。けれど、離婚に至るまでの数週間は、さすがに消耗した。

「で、泰司は今どうしてるの」

那美はお茶を注ぎながら訊《き》いた。離婚したのはちょうど那美が就職した時期だったので、彼女にはまだ詳しくその経過を話していなかった。

「知らない」

授乳しながら素っ気なく答えた。

「面白いところのあるやつだったよね」

「まあね」

そもそも那美と言葉を交わすようになった経緯《いきさつ》には、泰司も絡んでいる。珊瑚自身は、小さい頃から積極的に友だちをつくるタイプではなかった。暗いと言われ、交われずに周囲から浮いていた。自分の家が他の子どもたちのそれとは違うのだ、ということは、物心ついて初めて他の子どもと出会ったときから直感的に分かっていた。この家の状況では彼女らと対等に付き合うことはできない、と子ども心にどこかで悟っていたので、友だちができないのは仕方のないことと諦《あきら》めていた。高校を中退し一人暮らしを始めたときも、高齢者の一人住まいが大半のこのアパートで、愛想良く振る舞えない珊瑚はやはりなんとなく浮いていた。泰司が入り浸るようになったらなおのこと他の入居者たちと距離ができたような気がした。隣室の七十年配の女性とは最初からほとんど会話がなかったが、うるさくてしようがないと大家に苦情を言い、空いている他の部屋に移った。そのことを大家から聞かされ、珊瑚は恐縮した。珊瑚の部屋は一階の一番奥の部屋だったので、その手前が空き部屋になってしまうと、気分はすっかり離れ小島である。そういうとき向かいの部屋に、同じ年頃の女性が引っ越してきた。それが那美だった。那美が引っ越しの挨拶に来たのは珊瑚がバイトに出ていたときで、応対したのは部屋にいた泰司である。周囲に不案内な彼女に、小まめな泰司はあれこれと親切に教えたらしい。スーパーの場所、銀行、郵便局の場所、ゴミの出し方、等々。それが縁で、那美はいっしょに住む珊瑚にも親しく声をかけるようになった。ひまわりのように明るくて物怖じしない子だ、と珊瑚はまぶしく思った。話していて哀れまれることも馬鹿にされることも距離をとられることもなかった。それが心地よくて、いつの間にか互いの部屋に遊びに行ったり気軽に呼んだりするようになったのだった。だがその関係が特別強固なものになったのは、やはり雪の出産以後だった。

「養育費とか、そういう取り決めは一切なかったの？」

「ない。なかった」

那美はため息をついた。

「珊瑚って、ほんとにゴーイング・マイ・ウェイだね。世間ってこと、まったく無視してるね」

「無視してる？」

珊瑚は意外なことを聞いたと言わんばかりに心持ち目を丸くした。

「そうだよ。だいたい、妊娠したときだって、何の迷いもなかったでしょ、ふつう、真っ青になって悩むよ。珊瑚にはそれがなかった」

「なかったね」

珊瑚もそれは認める。

「泰司の気持ちも考えなかった」

「それはどうだろう」

「考えなかったよ。泰司はまだ、これから社会へ出ていこう、ってときだったから、パニックになったんだ」

珊瑚は、それは確かに、と言って、

「順番が違うんだ、ってずっと悩んでたね、彼」

と頷《うなず》いた。

「他人事《ひとごと》みたいに。泰司は可哀そうだったよ」

那美は首を振った。

可哀そう、だったのかな、やっぱり、と珊瑚は呟《つぶや》いた。那美には言わなかったが、それでも珊瑚は泰司のことを慮《おもんぱか》っていた。「違った順番」が、彼の人生そのものを「違わせ」ないように。離婚も、だから彼のためと思って承諾したのだった。

珊瑚は泰司の実家に行ったこともなかったし、両親にも会ったことはなかった。自分の息子が知らない間に結婚して離婚して、孫もいる、と知ったらどんな気分だろう、と、ときどき想像した。最初は驚くに違いない。それから怒って、冷たい氷の壁のようになって、自分たちを無視するかもしれない。けれど喜んでくれるかもしれない、あるいは。だが泰司に言わせれば、彼らは「真面目だから、こんな結婚が受け入れられるはずもない」の一点張りだったので、珊瑚も敢《あ》えて連絡を取らずに今日まで来たのだった。雪が大きくなって、そういうことを知りたがったら、そのとき考えようと思っていた。自分の母親についても同じだった。

「雪のことだってさ、実家のお母さんに預けるとかするよね、ふつう、世間では」

「私の？　どこでどうしているかよく分からない」

珊瑚も豆大福に手を伸ばした。白い粉が無心に乳を吸う雪の頬に落ちた。うわ、おいしそう、と呟いて、我が子の白桃のような頬に一瞬見とれた。那美も覗《のぞ》きこんで、ほんとだ、と目を細めると、

「なんだかんだ言って、珊瑚は強いんだ、ほんと。前から思ってたけど」

いやはや、と首を振った。

「そうかね」

珊瑚は豆大福を一口かじり、残りを戻すと、雪の頬の粉をそっと手の甲で払った。そして、

「今日は泣いたけどね」

「泣いてもさ」

さっきも言ったけど、それは涙腺が緩んでいるせいだよ、と那美は続けて言い、あとは黙って口を動かした。そうかねえ、と珊瑚も曖昧な受け答えをして、それから黙っていっしょに口を動かした。雪はいつの間にか目を閉じて寝ていた。

翌日の昼下がり、珊瑚は雪を連れてくららの家に寄った。雪を慣れさせるために、明日《あした》から散歩の途中でも、買い物の往《い》き帰りでも、できるだけ寄るようにしてくれ、とくらに言われていたのだ。パン屋の話もしなければならなかった。

「ああ、いらっしゃい、どうぞ入って来て」

呼び鈴を押すと、今回はその下に設置してあるインターホン越しに応答があった。言われるまま、玄関の戸を開けると、途端に何かオーブンで焼いている、熱を伴った料理の匂いがしてきた。オーブンの発する匂いはパン屋で慣れていたので、すぐに分かった。

「上がって頂戴《ちょうだい》な」

奥から声がしたので、遠慮なく昨日と同じ部屋に入った。するとベルト付きのベビーチェアが目に入った。飛行機の座席を小さくしたような、たぶんフラットの状態から何段階かに分けて傾きが固定できるタイプだろうと見て取れた。小さなテーブルも付いている。

「いらっしゃい」

くららが紅茶を載せたお盆をもちながら入ってきた。

「これ、すごいですね」

「親戚《しんせき》のところにあったはず、と思って、夕べ電話をかけたの。そしたら、邪魔だから処分しようと思ってたんでちょうどよかった、って言ってすぐに持って来てくれたの。よく分からないんだけど、水平方向にスウィングする、スウィングチェアなんですって。いろいろ説明して行ったわ。乗せてみて、乗せてみて」

くららの声が弾んでいた。

2

雪はもうお座りは出来るが、スウィングチェアはおろか、椅子というものに座ったことがない。初めての感触に一瞬体を硬くしたようだったが、くららが後ろからそっと、その背もたれごと押すと、おおっというように顔を上げ、珊瑚に目を遣《や》った。いいのか、これで、と訊いているようだった。珊瑚がゆったりとにこやかにしているので、雪も落ち着いたのだろう、座席が下に付いた二本のレールの上を、前後にゆっくり行き来している間、心地いいのか両目は次第にとろんと、重たそうに閉じられていった。ちょうど昼寝の時間帯に入っていたこともあったのだろうが、その効果は劇的のように思えた。今度は大人二人が目を見張り、それからまるで、長年のたくらみがうまくいったのを見届けてすっかり悦に入った小悪党のようなひそひそ声で、

「激しく揺さぶったりするのは、とても危険なのですって。斜めに揺れるような椅子も。でも、この椅子の動き方なら大丈夫なのですって。親戚が言ってたわ。よかったら、おうちにお持ちになる？　私、キャリアーに載せて運んであげるわよ」

「あ、いえ、うち、置く場所もないし。ここに来たときに使わせてください。それで十分です」

置く場所がない、というのは実際本当だ。こんなものを置いたらそれだけで部屋がいっぱいになりそうだ。けれど、今まで経験したことのない椅子に、すっかりくつろいで身を任せ切っている雪が可愛くいとしく、そしてなぜか不憫《ふびん》だった。雪が寝入ったのを見て、くららはゆっくりと椅子をフラットにした。

「もうお昼食べた？」

くららは友だちに言うような口調で珊瑚に訊《き》いた。

「いえ、まだ」

「私もそうなの。ちょうどつくりかけなの。よかったらいっしょに食べませんか？」

何と答えていいか分からず、珊瑚がぼうっとしていると、くららは立ち上がって襖《ふすま》を開け放した。途端にさっき玄関先で気づいた「オーブンの匂い」が流れ込んできた。隣

はダイニング・ルームになっていて食卓と椅子があった。そういう家具や、床板、壁の腰板に至るまで、黒っぽい木目だったせいか、ダイニング全体は暗く見えた。その向こうが台所だった。

「こうして開けておけば、雪ちゃんの様子も分かるでしょ」

台所の方から光が入ってくる。流しの向こうが庭に面していて、硝子《ガラス》窓の向こうに木々の緑が揺れていた。くららはダイニングに入ると食卓の上に下がっている電灯をつけた。

「どうぞ」

雪はまだ寝入っている。言われるまま、珊瑚も立ち上がって、くららのいる方へ歩いた。くららは腰をかがめてオーブンを開いた。匂いのもとの、蓋《ふた》が開いた。途端に今まで空気に混じっていたその匂いが、空気そのものになったような濃厚さで珊瑚の周りになだれ込んだ。くららはその効果を楽しむように鍋《なべ》つかみで次々にパウンドケーキ型や真ん中に穴のあいたシフォンケーキ型等を取り出した。

「うわ、すごい」

珊瑚が思わずそう呟くと、

「すごくもなんともないのよ。これ、食事つくる時間がないときに食べる『助《すけ》っ人《と》料理』なの。一度にいっぱい作って、保存食にするのよ」

「ケーキ……が？」

とは言ったものの、ケーキのような甘い匂いではなかった。どちらかといえば、パン屋でつくるチーズやコーンの入った総菜パンの匂いに似ていたが、型はケーキのそれだったので、珊瑚は不思議に思ったのだった。

「お菓子じゃないの。砂糖の入っていない、おかず入りパウンドケーキってところかしら。お客様用料理ではないから、お体裁もなくて、型もまちまち。だから焼き上がり時間もみんな違う。小さい型のものからこうして早めに取り出して、大きい型のは余熱で焼き上がるようにもうちょっと入れておくの」

くららは、打ち明け話のように少し恥ずかしそうに言ったが、珊瑚は大げさに言えば、生まれてこの方出会ったことのない文化に初めて行き当たったような、思いもかけなかった場所に新しいドアが開いたような新鮮さを感じていた。

「やっぱりすごいですよ。これだけの数、準備も大変だったでしょう」

「だから、すごくないのよ、全然」

くららは困ったように繰り返した。

「具にするものはね、実はおかずの残りなの。例えばシチューの残り、マッシュルームやピーマンを炒《いた》めた物の残り、茹《ゆ》でたアスパラガスの残り、なんでもかんでも。料理をつくるとき、材料がたくさんあったら多めに作って取り分けておくだけなの。次の日、それを種に入れ込んで焼くだけ。塩や香辛料やチーズなんかを足すことはあるけど。あーあ。ばらしちゃった。それでもいっしょに食べてくださる？」

もちろん、と珊瑚は勢いよく頷《うなず》いた。

「よかったわ、ありがとう。ほんとうは、もう少し冷まして落ち着かせた方が取り出しやすくていいんだけど、熱々もおいしいものよ。形が崩れてみばは悪いけど」

そう言いながら、大きめの皿を二つ、棚から取り出し、食卓に置いた。それから小さいパウンド型を鍋つかみで持ち、中身と型の間に隙間をつくるようにすうっとナイフを走らせると、皿を被《かぶ》せ、逆さまにして中身を出した。

「あら、奇跡的にうまくいったわ。いつもは、底の方がうまく剝《は》がれないことが多いの」

そう言いながら、もう一枚の皿を被せる形にしてぴょんとひっくり返し、上下を正しく座らせた。別のパウンド型でも同じことを繰り返したが、人数分の皿は二枚、もう使っているので——もちろん他の皿を使ってもいいのだが、そうすると洗い物が余計に増える、と無意識の計算が働いているのだろう——ナイフを使って器用に底が下に来るようにした。

「今回の勝因はチーズかもしれないわ」

くららは不可解な現象から真実を導きだそうとしている哲学者のように重々しく言った。

「勝因？」

「熱々でもきれいに剝がれたことの。チーズが中途半端な量、残っていたから、ちょっと多いかな、と思ったけど、思い切って、全部使い切ってしまったの。油分が多かったからかも」

そう分析しながら、そのまま両方の皿の「おかずケーキ」をナイフで食べやすく切ると、窓辺のコップにさしてあったパセリのブーケから、頭だけいくつかちぎって皿に散らし、コンロにかけてあった鍋に火を点《つ》けた。一連の動作が流れるようで、珊瑚はこっそり見惚《みと》れた。それからくららの言った言葉を思い出し、

「保存食っておっしゃってましたよね」

「ええ。冷蔵庫の中に入れておいたら一週間はもつかしら。冷凍したら半永久的」

「……それ、いいですね」

鍋の中身はチキンスープだった。くららはそれを大きめのカップに入れて、その上で盛大に白胡椒《こしょう》を挽《ひ》き、さあ、どうぞ、と「おかずケーキ」の皿に添えて、珊瑚に勧めた。勧めた方も勧められた方も、そのとき同時に雪の方に視線をやり、まだ寝ているのを見て、思わずほくそ笑みながら、席に着いた。

同じ「粉製品」であっても、イースト菌を使うパンの、ざっくばらんとした食感とは違う、きめの細かなケーキのような口当たりがありながら、煮込んだタマネギの風味がした。

「不思議な感じ。でもおいしいです」

「よかった」

珊瑚は空中を見つめながら口の中のものを吟味するようにもぐもぐと動かし、

「あ……ベーコン？」

「そうね、それは……そうね」

くららは、珊瑚の皿に載っているおかずケーキの切り口をじっと見ながら言った。ということは、型によって中身が違うということなのだろう、と珊瑚は推測した。

「いつも、こういうものをおつくりになってるんですか」

「ときどきね。これだと野菜やたんぱく質、炭水化物、ほとんど摂《と》れるでしょ。本に夢中になってしまって、気がついたら食事もとらずに夜が更けていた、というときなんか、便利なんです」

本に夢中になって、という言葉も、珊瑚には新鮮だった。

「私、本ってほとんど持ってないんです」

正直に言った。

「読むのは好きなんですけど。でも、家を出るとき、家にあった本、一冊だけ持って出ました。どうせ、誰も読まないだろうし、って思って」

「何の本？」

「石原吉郎《よしろう》っていう人が書いたものなんですけど」

え？　と、くららの顔が真顔になった。ああ、知ってるんだ、と珊瑚は思った。

「詩人の？　それはまた……」

「小さいときから家にあったんです。きっと、母の男友達の誰かが置いていったんだと思うけど。書いてあることは、本当はよく分かっていないのかもしれないけど、私は好きでした。なんか、きゅーって気持ちが集中していく感じが」

くららは黙って頷いた。チキンスープもおいしかった。インスタントにある媚《こ》びた旨《うま》味《み》ではなく、あっさりとしてらいのないダシの味がした。こういうものが、体にまっすぐ入って、体をつくっていくのだと感じた。

「くららさんの家族って幸せですね。こんなものをつくってもらえるなんて」

くららはちょっと複雑な笑みを浮かべた。それを見て珊瑚は、あ、しまった、くららの家族のことは何も聞いていない、と一瞬緊張した。くららはけれど淡々と、

「小さいとき、フランスの田舎にいたことがあるの。そこで通いの家政婦さんがよくこういうのをつくってくれたんです。それで覚えたの」

ああ、そうですか、と珊瑚は頷き、それから緊張した反動からか、

「フランスっていうのもすごいけど、家政婦さんていうのもすごい。私、中学校の頃、家に食べ物がなかったんです」

つい自分のことを話した。え？　とくららは、自分が今聞いた言葉の意味がとれないでいるような顔をした。珊瑚はその顔に、安心させようとするかのように笑いかけ、

「学校が給食だったんで、助かっていました」

「……でも中学生っていったら食べ盛りだわ。お腹がすいたでしょう」

「ええ、とても。家に帰ってもマヨネーズとかケチャップとか、目ぼしい調味料も食べ尽くしてあったので、もう、あとは醬油《しょうゆ》とか、古い食用油くらいしかなくて。さすがにそれは無理だったけど」

「……おかあさんは？」

「母はその頃大体家にはいませんでした。どこか男の人のところに行っていたんだと思います。もっと小さい頃は、家に『おとうさんたち』がいましたけど」

「……おとうさん、たち」

くららはわざと興味しんしん、というように少し体を乗り出した。珊瑚はつられてクスッと笑って、

「一度にみんないるわけじゃないんですよ。そのときどき、一人ずつ、もちろん。長くて数年、短くて数週間。小さい頃はよく分からなくて、この人おとうさんよ、って言われると、言われたときは、あれ、違うんじゃないって思うんですけど、そのまま、だんだん慣れてくるんです。羽振りのいいおとうさんのときもあったし、そうでないときもあった」

「その中のお一人が、石原吉郎の本を置いていったのね」

「ええ、たぶん。あの人だろうなって思う人はいます。よく本を読んでた。母が外に出るようになったのは、小学校の、高学年ごろかな。たまに帰って来て、私がいない昼間、お金を置いていくこともあるんですけど、そういうとき、添え書きはいつも、これで必

要なものを買いなさい、って」

　珊瑚は雪の方をちらりと見た。よく寝ている。視線を自分の手に戻した。

「そのたびに、必要なものって、何だろう、って考えるんです。今から思えば食べものに決まってるのに、そのときすぐにはそれが食料品に結び付かないんです。学校の文房具とか、徴収されるお金とか」

「自分の体のことより、そういうものの方が大事に思えた？」

「うーん。なんか、そういうことほったらかして、自分の食べもの買うって、後ろめたい気がしたんですよねえ」

　くららはため息をつきながら首を横に振った。

「真面目なんですね、珊瑚さん。でも、そういう真面目さって……」

　珊瑚も頷《うなず》いた。

「どうなんでしょうね、ほんとに。でも、あるとき、夜も朝も食べられない日が続いて、朝、登校するとき、世界がうすーく見えて、倒れそうになって、このままじゃだめだ、このままじゃ死ぬ、って、突然ものすごく強く思ったんです。なんか、閃《ひらめ》きみたいな、怒りみたいなもの。何に対して、って意識はなかったんですけど」

　くららは目を閉じて、分かる気がする、と呟《つぶや》いた。

「保健室へ行ったの？」

「保健室へは行きませんでした。保健室へ行っても、しばらく寝てるだけですから。私に必要なのは、この生活全般を何とかすることだ、って思ったんです。そんな難しい言葉じゃなかったですけど。もう、やってらんない、みたいな。それで、ふらふらしながら、休み時間に、スクールカウンセラーのところへ行ったんです」

「学校にそういう人がいるのね」

くららは、感心して言った。

「珊瑚さんの場合はソーシャルワーカーの仕事のようにも思うけれど、ともかく、誰か相談できる人がいたっていうのはよかった。そこへ行って……」

珊瑚は頷いて続けた。

「家に食べるものがないんですって、言ったんです。それだけ言うのに、ものすごく勇気が要りました。小さかったけど、見下されるのが嫌だったんだと思います」

「誰だって、人から見下されるのは嫌だわ」

「……ものすごく、勇気が要ったんです」

珊瑚はもう一度呟いた。えらいわ、と、くららは頷いた。

「その勇気が、生死を分けたのだと思うわ」

珊瑚はそんなたいそうな、というように少し笑って、それから真面目な顔になって、

「ああ、でも、もしかしたらそうかもしれません。何か困ったことや悩み事があったらそのスクールカウンセラーのところへ行くように、って普段学校でも言われていたけど、もし、その人が嫌な感じの人だと思ってたら、打ち明けなかったかもしれない。けれど、

以前から学校ですれ違ったり遠目で見たりしていて、嫌な感じは受けなかったんです。運が良かったことに、話してみるとやっぱりいい人でした。母のこととか根掘り葉掘り聞かれることはありませんでした。悩んでいることは一つだけ、家に食べ物がない、そのことだけ。そう言うと、これからいつもより早く登校して、着いたらまずその部屋にくるように、って言われて、その通りにすると、トーストを焼いて、ミルクを温めてくれていました。これは昨日の給食の残りを分けてもらったものだけど、大体世の中、無駄になる食物が多過ぎる、これは環境のためによくない、と、今でいうエコのはしりのようなことを話してくれながら、地球の未来のために、食べようよ、といっしょに食べてくれました。給食の食パンも、トーストすると目先が変わって、それに、いっしょに食事をしてくれる人がいる、っていうのもうれしかった。ぽつりぽつりと、いろんな話をするようになったし。下校のときは、給食のおばさんから分けてもらったっていう試食用のおかずを弁当箱に詰めてもらったこともあったし、ちょうど今みたいに」

そういって珊瑚は、「おかずケーキ」を載せたテーブルを開いた右手でぐるりと指しながら、

「自分の家でつくり過ぎたって言って、もってきてくれることもありました」

そう、と、くららは笑いもせずに少し大きめに頷き、

「おうちの事情については一度も何も詳しく訊《き》かれないまま？」

「一度、ちょっとお母さんとお話がしたいから、都合がついたら連絡してください、っ

てこれ渡して、と手紙を渡されたことがありました。それで、それ、いつ母が帰っても分かるようにテーブルの上に置いていたんです。こんなことしてもだめだろうなと思ってたんですが、不思議に母は、彼女と連絡を取ったんです。で、母までときどき彼女のところへ通うようになりました」

「まあ」

「私が高校に入学できたのは、そのおかげだったんだろうと思ってます」

「その方とはそれから？」

「手紙は何度かもらいました。でも、ほら、やっぱり、彼女は仕事で会ってくれてたんだし、あまりしつこく迷惑をかけたらいけないと思って、卒業してからは会ってません」

「大人ねえ、珊瑚さん」

くららがしみじみと言った。

「ううん、ただ、会いに行って、今までと違う、困ったような顔をされるのが怖かったんです。手のひらを返したような、とまではいかなくても」

ああ、とくららは目を閉じた。珊瑚は自分では気づかなかったが、そういう「怖れ」は、それまでに親しかった人からそういう対応を取られた経験があり、何かを「学習」した成果なのだと言っているに等しかったのだった。

「でもその方、待ってられるかもよ」

それを聞いて珊瑚がふと視線を落としたとき、カタカタッと雪が身じろぎする音がした。寝返りを打とうとして、ベルトが邪魔になってうまくいかないらしく、四苦八苦していた。

「あらあら」

くららと珊瑚は同時に立ち上がった。珊瑚はさっと雪の傍へ行き、ベルトを外し、すっかり目をさましているのを見ると床に座らせた。そして、くららに、

「今みたいに目がぱっちり開いてるとき横にしてしまうと、そのままうつ伏せになってその辺を這《は》って動き回ります。でもこうやって座らせておくと動きません」

珊瑚の言い方が何かの取扱説明書を読み上げるようだったので――珊瑚としては雪の成長度合いや癖を、くららに伝えておく必要があると思ったからそういう言い方になったのだが――くららは笑った。

「そのうち、すぐにつかまり立ちをするようになるでしょうね」

その間くららは食卓の上に食器を出して、何か準備していたが、

「これ、おやつがわりにどうかしら」

とスプーンと小鉢をもってやってきた。

「おかずケーキ、やわらかいところをチキンスープに浸してみたの。離乳食としては邪道かもしれないけど、ちょっとだけ」

「わあ」

珊瑚は思わず声を出してから、まるで雪とどっちが子どもか分からない、と思った。「離乳食」というと、「〇〇を茹《ゆ》でてすり潰《つぶ》したもの」とか、塩分がどうのこうのとかいった情報で少し気負っていたところがあったが、くららの肩の力の抜けた申し出は、何か自分の気分までわくわくさせた。初めてのものにトライする雪の目になっていた。

スプーンの先にほんの少し載せ、結ばれた雪の、小さな上下の唇の間にそっと差し込む。雪は最初、舌で押し出すようにしたが、二回目にスプーンを持っていくと自分の方から口を開けた。それから腕を上下させ、ぶわぁ、と言った。

「あ、これ、もっとくれ、って意味です。喜んでます」

「よかった。雪ちゃん、私たち、やっていけそう」

くららが近づいて声をかけると、雪の顔に緊張が走った。くららはそれに気づき、

「おっと、失礼。先走ってはだめね、ね」

と、なだめるように後ずさりし、雪の視界には入るが、脅威は与えない、という位置に留《とど》まった。雪は、珊瑚がスプーンを差し出すたびツバメの子のように口を開けながら、気になるのかしきりに視線をくららへ向ける。

思わず身の上話のようなことを話す雰囲気になったのはその日だけで、翌日は何となく話の流れから、珊瑚はくららに料理を教わるような格好になった。

くららの家の台所の、香辛料の瓶の数々に珊瑚は興味を持ったのだが、説明されても

その使い方がピンとこない。それでくららが実演とばかり、クローヴを入れてスネ肉を煮込んだり、フェンネルのパウダーをたっぷり入れたコールスローをつくったりしてみせたのだった。キャベツは例の親戚《しんせき》が「スウィングチェア」の運搬のついでに持って来てくれていたし、スネ肉は特売だったのでつい買い込んでいた。どうせ今日つくるつもりだったし、誰かといっしょだと張り合いがある、とくららは楽しそうに言ったが、「張り合い」があると感じているのは自分の方だと、珊瑚は心の中で思うのだった。食に関することには、生きる張り合いがある。

つくった料理は、「遅くなった昼食」としてその場でいっしょに食べた。余ったものは、タッパーに入れて、持たせてくれたのだが、帰宅後も珊瑚はなかなか空腹にならない。くららの家で食べた「遅めの昼食」を、珊瑚の胃は「早めの夕食」と受け取ったのかもしれない。夜更けになって、ようやく少し何かお腹に入れようかと思い始めた頃、那美が帰ってきた気配がした。ドアを開け、おかずもらってきたけどよかったら食べにこないかと声をかけた。

すぐ行く、ときっぱりした返事が返って来て数分後、那美は片手にごはんをよそった飯椀《めしわん》と箸《はし》を持ってやってきた。今日はまた遅かったんだね、と珊瑚がねぎらうと、今回のお産は四十時間もかかった、いや、おかあさんもがんばったけど、赤ちゃんもえらかったんだよ、ようやく生まれたときは涙出てきたよ、と言いながら、まだ余韻があるのか、しばらく玄関のところでぼうっと立っていた。

「あんたもえらいよ。お入り、お入り」

「いつ帰れるか分からなかったけど、それでもご飯だけはいつでも温かいものが食べられるように準備してたのよ。珊瑚の分ももってこようか」

「私、ご飯はいいわ、今日は」

　雪はもう寝ていたので、二人とも小声になっていた。座卓の上には蓋《ふた》を取ったタッパーと、取り皿、くららに教わったチキンスープを並べていた。

　感激感激、と言いながら、那美はすごい勢いで食べていった。コールスローは多すぎるかもしれないけれど冷蔵庫に入れておいたらしばらくもつから、と言って、くららがタッパーに詰め込んだ、その「多すぎる」量を、那美はあらかた食べ終わると、

「ああ、ひさしぶりでキャベツ食べたぁって気がするわ。肉もおいしかったし」

「いやほんと、結構食べたよ、那美。実はくららさん、大きなキャベツ一玉まるごと千切りにしたんだよね。そのときは多過ぎて、ボウルにも入りきらなくて、大鍋《おおなべ》に入れてたんだけど、彼女が手で揉《も》み始めると見る見る嵩《かさ》が減ってきちゃって。だから、那美が今食べたの、見かけの数倍の量があるんだよ」

　珊瑚は両手でキャベツの千切りを掬《すく》うような仕草をした。

「コールスローって手で揉んでつくるもんなの？」

「それは知らないけど、こうしたら味もよく浸《し》み込むし食べ易くなるって言ってたよ」

「あのさあ」

難産の手伝いの後で、まるで自分が産んだかのように目の下に隈《くま》をつくった那美は言った。

「私、いつも思ってたのよね。こういうもの、食べさせてくれるお店があったらいいなあって」

「あるんじゃない、探せば」

「それがなかなかないのよ。やたら高級そうな材料で値も張るけど野菜は飾り付け程度にしか入っていないレストランや、どこから仕入れたのか全く分からないほど安いけど、味付けは甘すぎたりやたら油っぽかったりする洋食屋とか。働いて帰る女一人、周りの目を気にせずふらっと寄ってその日の晩御飯楽しめるってとこはなかなかないの。ファミレスじゃなければ呑《の》み屋《や》や居酒屋くらいしか。そういうとこってさ、自分と相性のいい店主じゃなかったら最悪。客層もあるしね。一日疲れて帰って来て、その上お金払って気を遣わなくちゃならないなんて、悲し過ぎる。くたびれはてて食事つくる気力もなく、誰ともしゃべりたくない日だってあるでしょう。かといって、スーパーの総菜にはpH調整剤が入っていたり。防腐剤や着色料が入ってることもざら。うん、まずなんか入ってるね。第一、心の底からおいしい、って叫べるようなものって、絶対ないのよ。だから、もし珊瑚がそんな店をつくってくれたら、私、絶対常連になるよ」

なるほどねえ、と珊瑚は頷《うなず》いた。

「私、ほら、今はお金がないし、雪がいるから外食はほとんどしないけど、でもそれ分かる。泰司といっしょだから入ったけど、一人だったら絶対来ないだろうな、ってお店多かったもん」

でしょう？ と、那美は勢いづいて、だからつくってよ、そういう店、と大げさに冗談めかして嘆願し、宝くじでも当たらなきゃ無理、とそのときは珊瑚も、まったく現実感なく応《こた》えたのだった。


珊瑚がパン屋に復職するまでの数日はそのように、雪とともにくららの家へ出かけて過ぎた。雪は日を追うごとにくららに慣れていき、そして珊瑚もそうだった。

だからいよいよ雪を一人だけで預ける朝になっても、さほどの不安も心配もなく、珊瑚は雪を手放せた。八時に雪とともにくららの家に行き、いっしょに座敷に上がり込み、頃合いを見てそっと姿を消す。昼寝はスウィングチェアでなんとかなるにしても、問題はきっと、「起きたとき珊瑚がいない」という状況に雪が気づいたときだろう。

「そのときはそのとき。それは私と雪ちゃんの問題だから、珊瑚さんは心配せずに働いていらっしゃい」

そうくららは励ました。そして以前そのくららが言っていたように、雪が泣こうがわめこうが、どうでも自分が働かなければならないのだ。

3

九時前ともなると、駅とその周辺は、早朝のラッシュ時のピークから一時波が引いたように静かになる。駅から数分の場所にあるパン屋、「たぬきばやし」の店頭にはすでに営業中の札がかかっている。

「おはようございます」

珊瑚はそう言いながら、焼き立てのバタールの匂いが立ち込める店内へ入った。

「ああ、来た、来た」

三角巾《さんかくきん》を頭に付け、エプロンを身につけた雅美さんが、笑顔で珊瑚を迎えた。クロワッサンのトレイに、新たに焼いたものを足しているところだった。もうすでに大方売れて、陳列の数が少なくなったのだろう。

「またお世話になります」

そう言いながら、珊瑚は奥へ続くドアへ向かった。すでに客が二人いて、店内は仕事のモードに入っている。冗長に挨拶《あいさつ》をしているときではなかった。レジの前に珊瑚の知らない若い店員がいて、声をかけたそうにしていた。珊瑚が今日からここでまた働くということは伝えられているのだろう。今はとにかく着替えてきます、あとでね、というようにうなずき、身支度を整えるために奥へ入った。店と工房との間は、棚やロッカーのある二畳ほどのスペースになっている。エプロンや三角巾などもそこにしまわれていた。珊瑚はその棚の一つにバッグをしまい、手を洗って消毒スプレーをかけた。エプロンをつけ、頭に三角巾をかけ、黒いゴムでまとめた髪の下で結ぶ。ああ、懐かしい、と一瞬思う。

工房へのドアを開け、デニッシュパンの焼成に入っていた店主の桜井に、

「今日からまたよろしくお願いします」

と、頭を下げた。

「やあやあ。久しぶり。赤ちゃん、元気?」

「はい」

「じゃ、早速で悪いけど、そこのミキシングが終わった種、取り出して」

言われて、珊瑚は、自分がいた間にはなかった大型のミキサーが入っていることに気づいた。

「あ、ミキサー入れたんですね」

「ああ、珊瑚ちゃんがいるときはなかったっけ」

桜井はそう言って見本を見せるようにミキサーに近づき、勢いよく中身を取り出してドゥコンディショナーに入れた。そこでパン種を一次発酵させるのだ。

「やっぱり楽だよ、ミキサーが入ると」

そうですか、と言いながらも、珊瑚は内心がっかりしている。以前の桜井は、自分の手で捏《こ》ねることを身上としていた。そもそも彼にパン作りを教えた師匠のパン職人が、そういう主義の人だったらしい。手で触ってこそ、その日の粉の気分が分かるのだ、どういうふうに接してほしいのか、塩は、水加減は、発酵時間は、ということは、体を使って会話をすることで、粉が教えてくれる、という。

珊瑚は最初にアルバイトしたのがこの店だったので、それがどれほど珍しいことかよく分かっていなかったが、あとで雅美さんや先輩の店員たちから聞くうちに、世間ではミキサーで捏ねる店が大部分なのらしい、と察するようになった。

「寄る年波には勝てないよ」

桜井は珊瑚の一瞬の表情からその思いを読み取ったらしく、弁解するように言った。

「そんな」

と、一応慰めてみるが、確かに一年程見ない間に、桜井は心もち小さくなったように見えた。

「お痩《や》せになりましたか」

「まあね。あ、もうバゲットが窯出しだから」

「はい」

珊瑚はさっとオーブン用のグローブを手にはめ、力を入れて窯の扉を開けた。途端に熱風と香ばしく懐かしい香りに包まれた。ああ、「たぬきばやし」のバゲットの匂いだ。珊瑚の中の「時間」が、急激に巻き戻った気がした。

「たぬきばやし」は通常大体三人のスタッフで運営されていた。主に桜井が工房でパンを焼き、一人は店番、もう一人はその両方を状況に応じて手伝う、という役割分担になっている。バイトの都合がつかない時間帯は、奥さんの雅美さんが手伝っている。

珊瑚がここで働き始めたのは、高校をやめなければならないという事態が差し迫ってきた頃だった。学校帰り、その学校からの通告を伝えようと母親を探しにこの町へ来て、結局母親はいるはずのところにおらず、脱力感と不安に打ちのめされそうになり、急に、何か食べなければならない、と思い立ったのだ。そのとき迷うことなくパンを、と思ったのは、あのスクールカウンセラーとの思い出のせいだったのかもしれない。帰り道で目に付いた最初のパン屋がここだった。

初めて店に入ったとき、たまたま「アルバイト募集」の貼り紙があった。くららと知り合ったのも、思えば彼女の貼り紙が縁だった。珊瑚は新聞もとっていないし――だから挟み込みの広告にも無縁だし――、アパートには回覧板も回ってこない。貼り紙の類《たぐい》に敏感なのは、地域の情報を入手しなければという焦りもあると思う。

働くなら食べもの屋がいいよ、食いっぱぐれがないから。

「おとうさんたち」の一人が昔何気なくそう言ったのを覚えている。そしてそれは正しかった。売れ残りのパンが貰《もら》えた。

珊瑚は焼き上がったバゲットの入った籠《かご》を抱えて売り場へ出た。客は誰もいなかった。

「珊瑚ちゃん、こちらは珊瑚ちゃんがいないときに入ってもらった五島由岐《ごとうゆき》さんよ。美大生」

レジのところにいた雅美さんは、珊瑚に気づくと声をかけた。奥のテーブルで、バゲット用の袋に「たぬきばやし」のロゴ印を押していた由岐は、紹介され、ぺこっと頭を下げた。珊瑚は、棚の上の空になったバゲット籠を手持ちのそれと換えながら、

「偶然。うちの子もゆきっていうのよ」

「えー。あ、でも、漢字は違うかも。私は理由の由に、山へんに支店の支って書く岐」

「……視点？」

「本店と支店の支店」

「あ、支店？　分岐点の岐？」

「そうそう」

「支店の支、って、面白い言い方」

こういう、たわいのない会話で笑うって、ずいぶん久しぶりだ、と珊瑚は思った。雪が傍にいると、いつも目の端で彼女を捉《とら》えながら、どこか緊張していた。

「じゃ、ちょっとここお願いね」

雅美さんは奥へ入っていった。珊瑚は、「はーい」と自分でも意外に思うような大きな声で返事をし、デニッシュのトレイの準備を始めた。由岐はロゴ印押しの続きにとりかかりながら、

「珊瑚さんの話は、ときどき奥さんたちから聞いてました。珊瑚さん、私と同じ年なのに、偉いですね」

「え？　そんなことないよう。それに、同い年なんだったら、敬語は止めようよ」

「そうですか。じゃ、遠慮なく。私なんか、まだ親から仕送り受けてるのに、子どもを産んで一人でちゃんと育ててって、すごいと思った」

「たまたまこういうことになっただけ。由岐さんは親がちゃんとしているから、それでいいんだよ。うちは、そうじゃなかった、それだけのことだよ」

ふうん、と言って、由岐は黙った。珊瑚は由岐の近くまで行って、押されたインクが乾いた分の袋をまとめ、しかるべき場所に収めた。

「ゆきちゃんってどんな字なんですか」

「空から降ってくる雪」

「あ、いいなあ」

「そう？　由岐さんの由岐の方が、頭よさそう」

「私、悪いですよ、頭」

「ほらまた、敬語使ってるよ、さっきから」

「あ。いや、偉いなあ、って思ってたから、つい出てくるのかなあ」

「だから偉くなんかないってば」

自分の人生は、なんだかモグラに似ている、と思っていた。さしたる夢もなく野望もなく、とにかく目の前の土を掻《か》きわけて、なんとか息のできるスペースをつくっていく、それの繰り返し。もっと大きな、なんというのか「ビジョン」というのか、人生の目標みたいなものが、自分にはない、と、珊瑚はふとした折に思うことがあった。ちゃんとした人生というものが自分の知らないどこかにあって、自分にはそのスタート地点すら見えていないのだという気が漠然としていた。

「美大生って、由岐さんは画家目指してるの？」

「うん、そこまでの才能はね、ないんですよ。それは大学入ってから思い知らされた。非常に残念ですがね。現実というものは致し方ありません。珊瑚さんが、『うちは、そうじゃなかった、それだけのことだよ』って言ったでしょ、さっき。いや、実は感銘を受けましたね、こっそり。私もそうだなあ、才能に関しては、って思った」

ふうん、そうなの？　と言いながら、

「でも、まだ結論を出すのは早いんじゃない？」

「もう、一目瞭然《りょうぜん》。私には才能がない、それだけのこと、って思ったらすっきりした」

実際、由岐はすっきりして見えた。

工房の方から、バタン、とオーブンの戸を開ける音がした。あ、デニッシュが焼き上がった、と、珊瑚は工房へ戻りながら、仕事の勘がどんどん甦《よみがえ》ってくる充実を感じていた。

初対面の由岐とそこまで話ができたのは不思議なことだった。そのときが午前中の、ぱたっと客足が途絶える時間帯だったせいもあるのだろうが、由岐にしても、「ちょうどあの頃、悩んでたんだよね、これから先どうしよう、って。そこに突然、珊瑚さんが現れたんだ」、と、後に呟《つぶや》いたことがあったので、縁と言えば縁だったのだろう。

その日はその後、店にずっと一人以上客があり、もう一度由岐とゆっくり話ができたのは、夕方そろって仕事を終え、途中までいっしょに帰ることになったときだった。

「さっきのお客さんね、お子さんがアトピーなんだって」

「へえ」

珊瑚は、最後の親子連れの子どもの方の、乾燥してゾウの皮膚のように厚くごわごわになった肘《ひじ》や膝《ひざ》を思い出した。それを見た瞬間、理屈を越えたところから押し寄せてくる情動で、思わず屈《かが》んで抱きしめそうになった。けれど露骨にそういう様子を見せたらかえって傷つけるだろうと思ったので、つとめて何気ないように接した。以前もそういう客はいたに違いないのに、ここまで同情したことはなかった。赤ん坊を産んだせいなのだろうか。ほら、何かのバルブが緩んでるんだよ、と、那美ならまたきっと言うだろう。

「最初は卵、牛乳、小麦、大豆、米、みんなだめだったんだって」

「だったら食べるものないじゃない」

「でもだんだん食べられるものが増えてきて、後は卵だけなんだって」

「よかったねえ」

「で、小麦粉が大丈夫になったとき、初めてこの店に入って来て、奥さんにそのこと、言ったんだって。一度この子にパンを食べさせたかった、いっしょにこの店の前を歩くとき、この子が中をじっと見るのがいたたまれなかったって。けど、ほら、卵ってたいていのパンの材料に入っているから」

「まあ、そうだね。ハード系以外はね」

「それを知って、ちょっとがっかりしたみたいなんだけど、それでもバゲットを買って、喜んで帰ってくれた。ここの御主人が卵入れないパン作りに力入れ始めたの、それからなんですよ」

「そう言えば、ハード系の種類が増えてるなあ、って思った」

「この間、奥さんがいなくて、私が一人で店番をしているとき、二人でまたバゲットと食パン買いに来たのね。週に一回、水曜日に必ず来るの。そのとき、たまたまちょうどでき上がったばかりのメロンパンの山を、お子さんがじっと見ていたんで、お母さんの方が、私に初めてそういう話をしてくれたの。うちの子、アレルギーで、卵がだめなんです。ときどき、幼稚園でメロンパンが出るんです。今まで代わりのものを持たせていたんですけど……。卵の入ってないメロンパンって、ありませんよねって。私もつらかったけど、ああ、ごめんなさい。卵、どうしても入りますねえ、っていったら、ああ、そうでしょうね、って」

女の人は、最初から分かっていたけど、だめでもともと、と思って訊《き》いただけだから気にしないで、と言わんばかりに、すぐに納得して出て行ったのだそうだ。

彼女が母子家庭かどうかも分からないのに、珊瑚はひどく身につまされて、人ごととは思えなかった。自分はたまたま、雪が丈夫に生まれついてくれていたので、そんな苦労はしなくてすんだ。

二つ目の交差点で、由岐と別れた。くららの家が近づくと、自然に足は早足になり、耳は注意深く辺りの物音を捉《とら》えようとした。もしかしたら、家の外にまで聞こえるくらいの大声で泣いているかもしれない……まだ聞こえない、まだ大丈夫だ……。

動物の母親がするように五感を研ぎ澄ましながらくららの家にたどり着き、インターホンを押した。はい、とくららの声がした。珊瑚です、と返すと、

「お帰りなさい、どうぞ、そっと入って来て」

言われた通り、そっと玄関の戸を開け、座敷へ入った。雪は後ろ向きに座って、そろばんの玉を手のひらでぎこちなく動かして遊んでいた。初回でもあったので無理もなかったが、くららの顔にはさすがにちょっと疲労の色が浮かんでいた。けれどくららは、

「とってもいい子でしたよ」

「ああ、ありがとうございます、ほんとうに」

珊瑚が座敷の際に腰をおろし、声を出した途端、雪はお座りの体勢を素早く崩し、あっというまに珊瑚のところまで這《は》って来て、しっかりとしがみつき、身も世もないというように大声で泣いた。珊瑚も思わずもらい泣きしそうになったが、くららの手前、こらえた。むしろくららの方が先に、目頭を押さえた。

「我慢してたのねえ。ずっといい子にしてたのに。初めてだったんだものねえ、お母さんと離れたのは」

「お座りの体勢から、ハイハイへ持ってこられたのも、これが初めてです。本人は無我夢中で気づいてないかもしれないけど」

「私も今日、初めて見たわ」

「ご迷惑おかけしませんでしたでしょうか」

「ううん、だいじょうぶ。あれからしばらくしたら、あー、あー、って何か訊きたそうに私の顔を見るんで、おかあさんはね、お仕事に行かれましたよ、って答えたの。そしたら分かってるのかどうか、分からないけど、しばらくは、黙っているの。でも、その問いかけはずっと雪ちゃんの心にあるのね、きっと。もうそろそろ訊いていいかなって、感じで、あー、あーって、言い出すの。それの繰り返し。お昼頃、たまらなくなったらしくって、ちょっと泣いちゃったけど、それでも今ほどじゃなかったわ。お散歩行きましょうかって誘ったら、すぐ泣きやんだし」

この何日か、くららに預けるための準備として、トイレなどで雪を一人置いて部屋を出るたびに、「お仕事、お仕事」と言って聞かせてきた。お仕事、と言われたら、一人で待っていなければならないのだ、ということはうっすらと頭に入って来ていたのだろう。けれどこんなに長く「お仕事」が続いたのは初めてだったので、さすがに何が起こっているのか不安になっていたのだろう。その不安を、くららの「見守り」が支えてくれたのだ。自分以外の誰かが、愛情と関心を持って自分の子どもを預かってくれるというのが、これほどありがたいことだとは思わなかった。

「でも、くららさん、一日何もできなかったんじゃないですか」

「だいじょうぶ、庭の手入れのときは、雪ちゃんも外気浴。バギーで傍にいてくれたし——まあ、多少強制的ではあったけどね——スウィングチェアに座ってくれている間に台所のこともできるし、むしろ、ずっと向き合うより、しょっちゅう声をかけながら、別の仕事をしていた方がいいみたいよ。そうそう、思いついて、そろばんを取り出して、目の前でいじって見せたら、もう、夢中になっちゃって。音や感触が面白いみたいね」

市販のおもちゃより、そういうもののほうが、子どもは面白がる、ということをくららさんは分かる人なのだ、と、珊瑚はますます力強く思った。

「珊瑚さんの方はどうだったの？　久しぶりだったんでしょう」

「ええ。懐かしかったです。新しいバイトの子とも知り合えたし、いろんな刺激がありました」

「なんか、生き生きしてますよ」

「そうですか？　実は自分でも、ちょっと解放されたみたいな、浮き浮きした感じがあって、雪に悪いなあ、って後ろめたい気分がしてたんです」

「おかあさんが生き生きしてるから、子どももがんばれるのよ。後ろめたい気分があったら、会ったときその分優しく出来るでしょう。だからそれも悪いことじゃないと思うけど」

「そう言ってもらうと気が楽です」

「お茶でも入れるから、ちょっと待ってて」

　そう言ってくららはすぐに立ち上がった。あ、すみません、と言いつつ、珊瑚は胸に顔を押しつけてくる雪のリクエストに応《こた》え、お乳を飲ませる。吸い付き度合いがいつもと違う、と実感する。授乳中の母親が働きに出る場合、勤務中にお乳が張って困るとか、授乳の時刻になると自然に乳が漏れるとかいう話を聞いたこともあるが、珊瑚にはそういうことはなかった。離乳期に入っていたこともあったのだろう。正直に言って、独身時代と同じ職場で、同じように働いていると、自分が子持ちであるということを忘れる瞬間さえあった。くららに任せて安心していたこともあるだろうが、働いているときは、雪のことを考える余裕はなかった。

　こういう感覚の延長線上に、たぶん自分の母親はいたのかもしれない、と珊瑚はなんとなく思った。そう思えば分からないでもない。今までにも、まあ、そんなところだろう、と思ったことはあった。そういうふうに距離をとって考えるようにしてきた。けれどさっき、雪がしがみついてきたとき、珊瑚自身の幼かったときの寂しさが堰《せき》を切ったように溢《あふ》れてきて雪の気持ちに同調し、思わずいっしょにわんわん大声で泣きたくなった。ときどき日常の表面の裂け目を窺《うかが》うようにして、そういう感情が一挙にやってくる。うっかりしていると巻き込まれる。一旦《いったん》巻き込まれるとしばらく動けなくなる。だから用心しなければならない、と珊瑚は自分に言い聞かせる。

雪はようやく落ち着いたようで、口から乳首を離した。赤ん坊にとって乳を飲む行為は、単に空腹を満たすものだけではないのだろう。母親の腕に抱かれ、その鼓動が聞こえる位置にしっかりとホールドされる、それだけで赤ん坊にとっては満たされる何かがあるのだろう。たとえそれが人工乳であっても。食事は、単に必須《ひっす》栄養素を満たせばいいだけのものではない。そのことは、珊瑚自身、身をもって知っていた。成分表には載らない栄養素もある。それが欠けては、何かが致命的になる栄養素が。

お茶と小さな干菓子を持ってくららが現れた。

「疲れているときには甘いもの、っていうから」

「あ、うれしい。ありがとうございます」

そう言って、船や魚の面白い形をした干菓子を口に入れた。すっとした甘さが口に広がり、消えた。

「こういうの、いいですね」

「別に栄養があるわけじゃないけど、たまにはいいですよね。和三盆です」

「そうか、ほとんど砂糖、ってことは卵、も入ってないですよね。白身で固めてあるとか、ないですよね」

くららは怪訝《けげん》そうな顔をして、

「ないと思うけど、どうして?」

「今日、いらしたお客の中に、アトピーのお子さんがいたんです。今では卵だけがだめ、という段階まで来たらしくて、卵の入らないパンを買って帰られるんです。でも、やっぱり、メロンパンとか、幼稚園で出ると食べたいんですよね……」

「そりゃそうですよ」

「最初の頃は、牛乳、大豆、小麦、米までだめだったんですって。小麦やお米がだめだなんて、いったい何を主食に食べていたんでしょう」

「そりゃあなた、稗《ひえ》、粟《あわ》、黍《きび》よ」

くららは即座に答えた。はあ、と応えたものの、珊瑚にはイメージが湧かない。

「雑穀。うちにもありますよ。今度炊いてみせてあげましょう」

「おいしいですか」

「私は好きですよ。米を主体にしてちょっと混ぜるのはね。そのものだけっていうのはちょっとつらいかも。でも、お米にうるち米ともち米があるように、黍にももち黍というのがあって、それはおいしいわね。おとぎ話ではきびだんごで忠誠を誓うくらいだから」

あ、きびだんごってありましたね、と言いながら、

「くららさん、なんでそんなに詳しいんですか、食べもののこと」

「長く生きてると、あなた」

くららはそう言ってにっこり微笑んだが、考えてみると、珊瑚はくららがどういう人生を送ってきたのか、ほとんど知らないのだった。結婚していたことがあるのか、独身を通しているのか、子どもはいるのか兄弟はいるのか、まだ親は生きているのか、天涯孤独なのか。

今までなんとなく訊《き》いてはいけないような気がしていたが、考えてみれば大事な子どもを預けている人の素性を知らないというのもおかしな話だ。やっぱり訊いてみようか。珊瑚がそう思っていると、

「アレルギーに詳しいのはね、甥《おい》が、子どもの頃、ひどいアトピーだったんです。ほら、このスウィングチェアを以前、使っていた子よ。なんとか大学を出て、商社に勤めたはいいけど、金のことばかし考える人生はもう嫌だ、って突然やめちゃったの。彼の両親はおろおろしてたけど、私はそのとき、そうだ、やめろやめろ、って大賛成したもんだから、親たちには嫌な顔されたけど、甥の方はそれから——前から気が合ってはいたんだけど——私と仲がいいんです。しばらく外国へ行って、帰って来て、農業をやるって宣言したの。キャベツも、だから、甥が持ってきたのよ」

「あ、なるほど……。甥御さんって、くららさんの御兄弟のお子さん？　ですか？」

思い切って踏み込んでみる。

「姉の子なの。姉たちも昔はこの近くに住んでいたんだけど、甥の健康のために郊外へ引っ越したんです。ここから車で一時間半くらいのところ」

そうですか、と納得する。

「甥御さんはもう、アトピーはすっかりいいんですか」

「ほとんど。小さい頃は可哀そうだったわ。皆が食べるものが食べられなくて」

「今日来たお子さんも、じっとメロンパンを見ていて可哀そうでした」

「ああ、そう」

くららは本当につらそうな顔をした。

「食餌《しょくじ》療法をしているのなら、たぶん、主食も偏らないように、ごはんの日、パンの日、黍の日、とか分けている頃だと思いますよ。同じものをずっと食べさせると、またそれに対するアレルギーがぶり返すから」

「そう言えば、毎週必ず水曜日に来る、って新入りの子が——って言って、私の方が今は新入りですよね——言ってました」

それから雪が眠りかけているのに気づき、時計を見て、もうこんな時間、と慌てて立ち上がった。帰り際、そうだ、と珊瑚はバッグから袋に入ったバゲットを取り出した。

「これ、よかったら。ここの、おいしいんです」

あら、まあ、ありがとうございます、とくららは嬉《うれ》しそうに受け取り、明日も待ってますからね、と二人を送り出した。

くららには姉がいて、その姉の子は幼い頃アトピーだった元商社員、今、農業を営んでいる——これが今日、珊瑚がくららについて得た情報のすべてだ。


次の日から、雪はもう、くららのところへ行きたがらなくなるのではないかと珊瑚は懸念したのだが、そういう心配はなかった。雪はむしろ、この新しい日課をすすんで受け入れているようだった。日中は会えないが、「ハイハイの姿勢で、お尻《しり》を高く上げる仕草が増えてきたけど、高這《ば》いの準備なのではないかしら」、などと、くららが事細かに毎日の変化を告げてくれるのもありがたかった。

「たぬきばやし」では、もう一人のアルバイト店員、美知恵《みちえ》にも会ったが、由岐ほどは気が合いそうもなかった。

第一印象ですべてが決まる、とまでは思わないが、初めて会ったときに強烈な意地悪をされると、その後どんなに優しくされても、本当には心は開けない。そういう意地の悪いことができる人間なのだと、すでに分かっているからだ。

美知恵は雅美さんから珊瑚を紹介されても、口をきかず、目も合わそうとしなかった。気まずい空気が流れた。それでも忙しくしているうちは気が紛れた。だがたまたま珊瑚が働いていた時代から顔見知りの客がきたとき、懐かしがるその客にわざとらしく声をかけ、最近の、珊瑚の入っていけない話題にもっていこうとした。一度や二度ではなかった。それがあまりに露骨だったので、珊瑚は啞然《あぜん》とした。美知恵が彼女の勤務時間を終え、帰った後、時折二人の様子を見ていた雅美は気の毒そうに、

「悪かったわねえ」

と言った。

「……分からないなあ」

珊瑚は独り言のように呟《つぶや》いて、

「嫌われてるってことなんですね、つまり」

雅美は言いにくそうに、

「そんなことはないと思うけど。人、それぞれだから」

と、肯定とも否定ともとれないことを言った。

由岐は、雅美が珊瑚のことを後輩のアルバイト店員たちにいろいろ話していた、と言っていた。若くして子どもをつくり、結婚して離婚して、今は一人で育てている、というようなことだろう。同じことを聞いた二人のうち、一人には「尊敬している」と言われ、別の一人にはあからさまな軽蔑《けいべつ》を受ける。いずれにせよ、普通でない、極端な人生だということだろう、と気分が暗くなりかけた。

おっと、これはいけない、と、珊瑚は自ら話題を変えようと、

「向こうでもパンづくり、なさるんですか」

「できたらいいわね」

雅美さんもまた、少し翳《かげ》りのある声で言った。

珊瑚にはよく分からなかったが、彼らの「ニュージーランド行き」には、何か桜井の身体的な事情が絡んでいるのかもしれなかった。以前は担いでいた粉袋も、新しく入ったキャリアーに載せて運んでいた。何か、深刻な病でなければいいのだが、と、珊瑚にはそれも気がかりだ。


一週間が経った頃には、雪も珊瑚もくららも、新しい生活のリズムが摑《つか》めてきた。水曜日の朝、いつものように珊瑚がくららの家に雪を置いて行こうとすると、あ、ちょっと待って、と、くららは台所へ行き、深めの箱を持って戻ってきた。

「今日は、あのアトピーのお子さんがいらっしゃる日でしょう」

そう言って、珊瑚の目の前でそれを開けて見せた。

「メロンパン？」

どう見てもメロンパンだった。

「みたいでしょ。でも卵も小麦粉も乳製品も使ってないのよ」

くららは得意げだった。珊瑚は素直に驚いた。

「えー。どうやってつくったんですか」

「長芋と上新粉――うるち米の粉ね、それと蜂蜜《はちみつ》」

ままあ」

「え？」

珊瑚にはまるでイメージが湧かない。そんなもので、菓子パンができるなんて。

「本当は自然薯《じねんじょ》って言って、もっと粘りのある山芋の方がいいんだけど、長芋でもまあ

「どうやってつくるんですか。教えてください」

珊瑚は普段にない熱心さで教えを請うた。

「教えるってほどのもんでもないのよ。スーパーで売ってるような、カットしてある長芋を買ってきて……このくらいの」

と言って、くららは二十センチほどの幅を両手で示した。

「皮を剝《む》いて擂《す》るんです。それに水を足して上新粉を入れて蒸す。基本はそれだけ」

そう聞いても、卵や牛乳、小麦粉すら使わずにこういうものができるなど、まだ信じられない。そう言うと、

「分かりました。もう少し丁寧に説明しましょう。擂った長芋は、塊っぽいところ――つまり『ダマ』っていう状況ね――と水っぽいところがあるから、それを泡立て器でホイップするようによく混ぜて均一のとろみになるようにする。ダマになったりしているところは泡立て器の先で潰《つぶ》すようにしたりする――お料理の先生には怒られそうだけど。で、水を、全体が倍近くの分量になるように、入れて、またよく混ぜる。あ、砂糖もちょっと、ここで入れます。そこへ上新粉をとろとろのケーキ種くらいになるまで――型

に流し入れられるくらいのゆるさかな——加えていって、あらかじめ、内側に蜂蜜をたっぷり塗ったお碗《わん》に入れて蒸します。十四、五分経って蒸し上がったら——竹串《たけぐし》を突き刺してなにも付いてこなかったらね——取り出してひっくり返して、蜂蜜の浸《し》みている部分に、スティックか何かで格子状の筋目を入れる。以上です」

立て板に水が流れるようだ。珊瑚には全部記憶できたかどうか自信がない。

「メモとらせてください」

そう言って、手帳を取り出し、くららに確認をとりながら、手順をざっと書き記した。

くららは、再度の説明を終えると、

「ただね、伝えてあげて欲しいのは、これ見かけはメロンパンだけど、普通のメロンパンや菓子パンなんかのように、パクパク食べられるもんじゃないんです。持ってみたら分かるけど、重いのよ」

そう言って珊瑚に、「メロンパンもどき」の入った箱を手渡した。そのぼってりした感触と重みは、確かにメロンパンのものではなかった。

「あ、ほんとう。見かけよりずっしりときますね」

「でしょう？　だから、羊羹《ようかん》とかういろうを食べるときのように、ある程度の厚さに切って食べる方がいいと思うの。粉って本当におもしろいわね」

そうか、米粉もまた、粉なんだ。どんな穀物でも、そこから挽《ひ》くものは、粉なんだ。

くららの言葉は珊瑚の心に、自分の目の前で新しい世界が拓《ひら》けていくような、新鮮な風を呼び起こした。

4

粉、という言葉に珊瑚が敏感だったのは、「たぬきばやし」で粉という言葉が独特のニュアンスを持って使われていたせいだろう。店主の桜井たちは、まるで生きている人間の性格や気質を言うように粉について話した。いわく雨が続くので粉の機嫌が悪い、○○産の粉はきっぷがいい、粉がへそを曲げた、等々。「粉」とはすなわち小麦粉のことだった。そのままだと食べることも困難に思えるような「粉」が、水を加え、捏《こ》ねると、ケーキやピザの台、餃子《ギョーザ》や饅頭《まんじゅう》の皮、麵類《めんるい》にまで変化して、人の食生活を支えていく。

米や雑穀を挽《ひ》いたものもまた粉なんだ、という珊瑚の感慨は、考えてみれば当たり前のものだったのだが、米や雑穀それぞれにまた、粉とした場合の固有の性質がある。その可能性に、珊瑚は自分の生活まで開かれていく気がしたのだ。

その朝、店に客がいなくなったとき、

「雪を預かってくれているお宅の方が、つくってくれたんだけど」

と言いつつ、珊瑚はその「メロンパンもどき」を由岐に見せた。

「わお。すごい。メロンパンにしか見えなーい」

由岐は体を後ろにそらすようにしてびっくりしてみせた。

「あ、これ、例の人たちにあげるんだ」

「そう。由岐さんが、あの子がメロンパン食べられないって話してたでしょ。そのこと、雪を引き取りに行ったとき話したの。とてもいい人で、今朝、つくって渡してくれたの。昔、よくこういうの、つくってたんだって。親戚《しんせき》にやっぱりアレルギーの子がいて」

「喜ぶだろうなあ」

が、事態はそう単純には展開しなかった。夕方近くになって、あの親子が入ってきた。由岐がそれに気づき、珊瑚の方を見た。珊瑚は早速ロッカーから「例のもの」を持って来て、トレイに食パンを載せている母親に、

「あの、これ、卵使ってないんですけど、よかったら」

と差し出した。

「え?」

振り向いた母親は、問い返すように珊瑚の目を見つめた。それから、検分するように箱ごとそれを受け取り、

「……本当ですか。本当にこんなものができるんですか。卵なしで」

「私がつくったのではないんですけれど」

「おいくら？」

顔を上げていきなりそう訊《き》かれ、珊瑚は一寸《ちょっと》面食らった。

「いえ、売り物ではないので」

「ありがとうございます。……お気持ち、嬉《うれ》しいです。ほら、聡《さとし》ちゃん、見てごらん」

「ふうん」

珊瑚の期待に反して、その子はちらっと箱の中を見たきり、視線を逸《そ》らした。母親はちょっと苦笑して、

「こういうの、売って欲しいです」

「え？」

母親はまっすぐ珊瑚の顔を見た。

「厚かましいことを言うようですが、商品にしてほしいです」

「はあ」

「そしたらずっと買えるから」

ああ、と珊瑚は虚を衝《つ》かれた格好で思わずうなずいた。

「……そうですよね」

そうなのだ。相手の好意だけで「恵んでもらう」のであれば、次また必要なときにつくってくれとは言いにくい。売り物になれば、対等の立場で金を払い、いちいち恐縮し

てみせる必要もない。くららにはもちろん、施したり恩着せがましくしたりする気持ちはなかったと、珊瑚は断言できるし、自分だってそうだ。が、それと相手がどう感じるかということとは別の問題である。

親子が帰ると、それまで彼らがどんなに喜ぶだろうと、傍でわくわくしながら見ていた由岐も、少し気落ちしたようだった。

「難しいねえ、こういうことって」

「うん。難しい。今、分かった、それ。よかったよ。そのこと、分かって」

珊瑚がそう言うと、由岐はなんだか少し、潤んだような眼で珊瑚を見た。そのときはすぐまた別の客が入ってきたので、話はそれ以上できなかったが、店を出て、途中まで二人で帰る道々、珊瑚は、

「さっきの話だけど、でも、あの人たちいいな、と思うよ。私、母親にあんなに気にかけてもらえなかったから」

「……そうなんだ。でも珊瑚さん、雪ちゃんのことはすごく気にかけているよね」

「まあね」

細い月が、ビルの間から上がって来ていた。ずっと向こうの信号が青になったのだろうか、駅からの道を、家路を急ぐ人、これから勤めか何かの約束があるのだろう人々が、一団となって歩いてくるのが見えた。今、道路を渡ると、彼らといっしょになってしまう。

「あ、急ごうか」

変わりかけた信号を見て、由岐が言った。一瞬のためらいの後、

「うん」

と、珊瑚も走った。人の群れに混じる。


くららの家へと続く、角を曲がったところの道は、もうすっかり慣れてしまって――珊瑚も雪も――何年も行き来しているように錯覚することさえある。細い月はまだ見えるだろうか。振り返ると民家の庭の木立の上に、引っ掛かるようにして浮かんでいた。こういう月を見ると、家の外で母が帰るのを待っていた幼い頃のことを思い出す。この季節、陽が落ちるのがどんどん早くなる。まだまだ夕方のはずと思っていたのに、あっという間に暗くなった空に浮かんだ月が、印象に残っているのだろう。さっき由岐が言っていた、「でも珊瑚さん、雪ちゃんのことはすごく気にかけているよね」という言葉は、どういう文脈の中で出てきたのだろう。親は自分が育てられたようにその子を育てる、とか、虐待は連鎖する、とかいう思い込みの中からだろうか。

……弦にかえる矢があってはならぬ。おそらく私たちはそのようにして断ち切られ、放たれたはずであった……

暗記している、石原吉郎の「望郷と海」の一節を、珊瑚は小さく呟《つぶや》き、それから大きく深呼吸すると、くららの家のインターホンを押した。おかえりなさい、と声が返って

きた。

いつものように中に入って雪と抱き合い、くららの淹《い》れてくれたお茶を飲みながら、珊瑚はメロンパンの報告も兼ね、自分の感じたことも、ひとつの発見としてくららに告げた。くららは、そうね、そのこと、私、うっかりしていた、と顔を曇らせた。

「なんてデリカシーのないことだったんでしょう。ちょっと考えれば分かることなのにね。なんだか一刻も早く、その子に届けてあげたいように、気が急《せ》いてしまった」

初めて見るくららの落ち込みように、珊瑚は慌てて、

「くららさんを責めてるんじゃありません。そんなつもりじゃありません。もし私にあいうものをつくれるスキルがあったら、同じことをしていたと思います」

くららはちょっと力なく微笑み、

「もちろん、珊瑚さんがそんなつもりでないことは分かっています。それだけに、年上の私がしっかりしていなくちゃならなかったのに」

そう言って長いため息をつき、畳の先の、一点を見つめていたが、

「もらう方は、自分がこの商品を選んで買うという立場でありたいと思う。あげる方も、限りある時間を割いて無償でやっていることだから、半永久的に続けられるほどの余裕があるわけではない。そういう場合、いちばん長続きするのは、あげる方がそれをつくることを生活のための仕事の一部にしてしまうこと。それが双方にとっていちばん無理のない、合理的な方法でしょうね」

珊瑚はその言葉を、くららが暗に、「たぬきばやし」で「メロンパンもどき」を商品化することを示唆しているのかととり、

「でも、店のご主人は、もうすぐこの仕事をやめてしまうし、それでなくても、あまり体に無理がかけられない様子なんです……」

「それはそう、『たぬきばやし』では無理ね……」

くららは、しばらく考えていたが、

「私、今度レシピを書いておきます。今まで分量はいい加減にしていたけれど、グラムをきちんと量っておきますね。ご自分でもつくれるように。とりあえずはそれでいけるでしょう」

ああ、ありがとうございます、と珊瑚は言い、雅美さんから聞いたアレルギーに関する話を続けた。

「小麦粉は大丈夫なんだけど、ドライイーストがだめだ、っていう人もいるんですって。ドライイーストっていうのは、乳化剤が入っているからって。化学物質なんですね、アレルギー反応を促進する可能性があるんだそうです。びっくりしました」

「ドライイーストを使わなくても、パンはできますよ」

「天然酵母ですか。それは管理が大変だって、桜井さんが言ってましたけど」

「天然酵母も楽しいけど、小麦粉を水で練って、二、三日ほったらかしておけば、勝手に微発酵を始めるんです。酵母ってほら、その辺に浮いているから」

「え？　膨らみますか、それ」

俄《にわ》かには信じがたい。

「さすがに普通のパンみたいには滅多になりませんが、ピザの台くらいのは必ずできますね、トルコのピデもできる。舟形にして、具を入れて端を折り返してピザ風に食べるのもおいしいけど、薄くしてフライパンで焼くと真ん中が空洞になって膨らむの。半分にして中に具を入れる」

くららはすっかり落ち込みから回復したように見えた。珊瑚は、

「あ、それなら知ってます。カレーソースとソーセージを入れたの、店でも置いてます」

それそれ、そういうの、とくららはうなずき、

「普通はドライイーストを使ってつくるんだけど、二、三日種を置いて微発酵させれば、中に気泡がいっぱい出来て、もちもちとした、おいしいピデができますよ」

「二、三日……って」

「温度や湿度なんかによって違うけど、どんな酵母を取り入れるか分からない面白さもあって。そのとき家に出入りした人によっても、パンが違うんです」

「え？」

珊瑚には意味がとれない。

「人ってそれぞれ独特の気配があるでしょう。その気配のなかには、もしかしたら、そ

の人が生活している環境に特有の酵母を、身の回りにつけている、っていうのもあるかもしれません。あれ、なんでこういうパンになっちゃったんだろう、って考えると、あ、あの人が来てたなあ、って思い出すんです。不思議に合点がいくの。なるほどなるほど、あの人らしいパンになっちゃったなあって」

「面白い」

珊瑚は思わず息を吸い込んでくららを見つめた。

「面白いでしょう」

くららは首ごと体を斜めに傾けてダイナミックに微笑んだ。


「珊瑚ちゃん、昨日、西山さんに『メロンパン』をあげたんだって」

朝、店に着いて奥で着替えようとしたら、待っていたように工房の方から雅美さんに声をかけられた。あ、あの人たち、西山さんっていうんだ、と思いながら、

「あ、はい」

「さっき、電話がかかってきたわ。あの子——聡くん、帰ってから、ずっと、それを見てたんだって。大事に冷凍しておこうかと思ったけど、ちょうど今日、幼稚園がメロンパンの日だったんで、持たせたんだって。出るとき、顔を、にこにこさせて、飛びだしていったって。あんなうれしそうな顔は見たことがなかったって」

珊瑚はなんだか胸が詰まるような思いがした。雅美さんは続けて、

「昨日は突然でびっくりして、きちんとお礼が言えなかったけど、本当にありがとうございました、って言ってらしたわよ。どうやってつくったの、卵なしで」

私がつくったんじゃないんです、でも材料は大体聞いて知ってます、と珊瑚は今まで味わったことのない、喜びとも切ない共感ともつかない感情に、半ば戸惑いながら、くららから聞いた通り答えた。

「それは軽羹《かるかん》だね」

雅美さんといっしょに仕事の手を止めて聞いていた桜井が、珊瑚の言葉に頷《うなず》きながら言った。

「かるかん？」

「鹿児島の菓子だよ。材料がいっしょだ」

でもなんでくららがそのことを知っていたのだろう、と珊瑚は不思議に思った。

「パンよりずっと水分があるから、量感があってどっしりしてたんじゃない」

「そうです」

珊瑚はそれを手に載せたときの、持ち重りのする感触を思い出した。

「そうか」

桜井はそれきり黙って、また作業に戻った。珊瑚も、でき上がったバタールを籠《かご》に入れ、店先に運んだ。美知恵がレジに立ち、客の応対をしていた。その客が出ていくとき「ありがとうございました」と、珊瑚と美知恵で思いがけずも唱和した。美知恵は一瞬苦々しい顔をした。珊瑚はそれがおかしかった。そこへ雅美さんがクロワッサンを運んで奥からやってきた。

「軽羹って、和菓子に入るみたいね」

「そうなんですか、知らなかった」

軽羹ってなんですか、と訊《き》く美知恵に、雅美さんが昨日の一件を話した。

「――珊瑚ちゃんがそんなことをしてたなんて、私も知らなかったから、電話が来たとき、最初何のことだかわからなくて」

「隠すつもりはなかったんですけど、なんか、差し出がましいかなって気持ちもあって、言い出せないでいたんです。由岐さんにはこっそり見せたんですけど」

「勝手にそんなことをして、事故があったらどうするんだろう」

と、美知恵が誰にともなく言った。――事故って？　と、訊こうかと思ったが、食中毒、異物が入っていた、とんでもないアレルギー物質が入っていた、等々、そんなところか。なるほど、そうなったら店の責任になるわけだ。

「……まずかったですか」

不安げな顔で雅美さんに訊くと、彼女は一瞬困ったような顔をしたが、それから、

「まあ、普通の店ではね」

と、言いにくいことだけれども、これは言っておいた方がいいと思うから言う、という気配を漂わせて口を開いた。

「そんなことされたら困る、っていうところが大半かもしれないわね」

「どうして、でしょうか」

雅美さんがごく客観的に言っているのが分かるので、珊瑚も正直に分からないことが訊ける。

まだ社会経験の浅いバイトの子たちには、ときには親代わりに苦言も呈さなければならない、と雅美さんはかねてから決めているようだった。珊瑚も何度か注意されたことがある。そのときには一時的に気まずい空気が流れても、自分のような「母親から教わる一般常識」の欠如している人間には有り難い情報だと、珊瑚には素直に思えた。いつの場合も、自分のやったことを否定されたというネガティヴな感情よりも、おお、そうだったのか、世間というものは、という驚きの方が強かったせいもある。

だが美知恵は隣で、

「ばっかじゃない」

と小さく、けれど確実に珊瑚に届く声で呟《つぶや》いた。それで、そうか、美知恵には分かっている「常識」なんだ、と、珊瑚は知ることができた。

雅美さんは美知恵の言葉に気づかなかったのか、気づいていたとしても無視することにしたようで、すぐに、

「店で出すもの、起きることの責任は経営者にあるから、良かれと思ってやることでも、まず私たちに相談してもらわないと困る。それから、あそこの店で○○をもらった、と

いう噂が広まったら、自分もそれをもらいたい、と思うのが普通の人でしょう。そう思わなくても、なぜその人だけ特別それがもらえたんだろう、上客だったということだろうか、差をつけられたんだろうか、とか。そういう、客に差をつける店と思われるリスクがあるということ。いずれにしろ、店のイメージとしてはいいものにはならない」

「ああ、なるほど」

「ね。パン二千円分買ったらこれがもらえます、っていう方が、まだ公平なのよ。少なくとももらった理由がはっきりしているから、もらえなかった人も納得できる。店がものを売るためにおまけをつけるのはよくあることだもの」

そうだ、そもそも店というところはものを売る場所なのだ、だからそれと違うことをする場合は、何か、よっぽど特別な絆《きずな》のようなものがない限り、不自然なんだ、私はあの人たちとはまだ言葉すら交わしていなかった。珊瑚はそう思い、店ってものを売るための場所だってこと、うっかりしてました、と正直に言った。

雅美さんは、そうそう、とうなずいて、

「うちは構わないのよ。小さな店だし、変な噂が立ったにしても、客一人一人にちゃんと話してあげられる。それにそう長く営業しているわけでもないし」

ただ、それを普通と思ってこれから他の店で働くとしたら、確実に珊瑚の人生はトラブルの多いものになっていくだろう。雅美さんはそれを危惧《きぐ》しており、珊瑚はまだまだ世間知らずのところもあったが、そういう雅美さんの心情を察せられる種類の「世間

知」はあるのだった。が、その後、

「珊瑚ちゃんが、お店つくるときがきたら、否応《いやおう》なく気づくけどね、そういうこと」

何気なく付け加えられた雅美さんのひとことに、珊瑚は軽く頭を叩《たた》かれたような衝撃を受けた。――店をつくる。


ひとに食べてもらうための何かを売る、店をつくる。

「たぬきばやし」が閉店した後のことを、考えなければならなかった。それはいつも珊瑚の心の片隅にあったことだ。雅美さんも気にかけてくれ、珊瑚が望むなら知り合いのパン屋に声をかけてみるけど、と言ってくれたこともあった。自分で店をつくる――今までどこかに雇ってもらうことばかり考えて、そういう選択肢は端《はな》から除外していた。第一、資金がいるはずなのだ。店を借りる、什器《じゅうき》を買う、食材を買い付ける、等々。けれどもし、例えば、資金が何とかなったら……。資金を貯めるためにまず、働くという手もある。


何より、食べもののことは面白い。それを自分で考えて思うようにできるのだったら、こんな楽しい、生きがいのある仕事はないのではないか。

いったん珊瑚の頭の中に宿ったこの「アイディア」は、それからずっと、仕事が終わり、店を出るときまで頭から離れなかった。

だがその日は、くららにまず報告しなければならないことがあった。聡君が、実は「メロンパンもどき」を大喜びしてくれていた、ということである。それからこの「アイディア」について。ここでくららさんの意見を聞こうか、それとももう少し計画を練って、実現性のあるものかどうか検討してから話すのがいいか、考えながら珊瑚が帰ってくると、くららの家の門の横の駐車スペースに、小型のトラックが停まっていた。何だろう、と訝《いぶか》りながらインターホンを押したが、はいはいお帰りなさい、というくららの声に、変わったところはなかった。だから、何の警戒もなく引き戸を開けたのだった。

「わっ」

珊瑚は驚いて、思わず声を上げた。玄関の上がりかまちに若い男が向こうむきに座っていて、中廊下の奥から雪が全力のハイハイでこちらに向かってくるところだった。

「あ、驚かせてすみません」

男は、顔だけちょっと珊瑚に向けて、それからやってきた雪を抱き上げた。雪は珊瑚に気づき、全身で、こっちへ来ようとする。

「おっと、雪ちゃん危ないよ、すごい力だなあ」

珊瑚はショルダーバッグを少し背中側に回し、雪に両手を差し出した。雪は空中を掻《か》くようにしてその手を摑《つか》もうとする、摑んだ、胸に入ってきた、抱きしめる。湿り気があって、温かい生きもの。雪は顔を左右に振りながら珊瑚の胸に穴を掘ろうとでもいうようだ。

「ああ、珊瑚さん、上がって上がって。こちらは甥《おい》のところで働いている時生《ときお》さん。今日、野菜を持って来てくれたの」

奥から料理のいい匂いがしている。珊瑚は、初めまして、雪の母親の珊瑚です、と頭を下げる。時生も慌てて頭を下げ、

「僕が言うのもなんですが、どうぞ」

と、場所をあけた。おじゃまします、と珊瑚は上がり、

「甥御さんのところって、農場の？」

「あ、そうです、いやあ、母子っていつもそうだけど、やっぱりびっくりするなあ。まるですごい強力な磁石みたいなんだ」

その言葉が、珊瑚のどこか、深い部分を貫いた。母と子は、まるで強力な磁石のように相手に近づこうとする、子どもの頃のあんたも、そうだっただろう、と何かが珊瑚にそっと囁《ささや》く。驚いたことに、またぽろりと涙が出てきた。え？　と、驚く。那美が言っていた、涙腺《るいせん》が緩んでいる云々《うんぬん》の話は本当かもしれない……また涙だよ、珊瑚がそう自分自身に呆《あき》れていると、くららがさり気なく、

「時生くんは以前、保育士をやっていたのよ」

と教えてくれたが、珊瑚は気どられないように涙を始末するのに必死で、返事ができなかった。

くららは、

「仕事を再開して今日辺り、ちょうど疲れが出る頃だわ。お食事していったらいいわ、ね、珊瑚さん」

　と、微笑んだ。

「私が料理している間、時生さんに雪ちゃんと遊んでもらってたの。やっぱり男の人はダイナミックね。家中が運動場みたいになっちゃった」

「お世話になって……ありがとうございます」

　珊瑚はやっと時生にぺこんと頭を下げた。

「いやいやこちらこそ遊んでもらって」

　時生は、農作業に従事している人らしく、陽に焼けていた。日焼けサロンなどでやるような、おしゃれな、艶《つや》のある焼け方ではなく、乾いた埃《ほこり》っぽい大地に、皺《しわ》を刻んでいくような焼け方だった。けれど、目がきれいな人だ、と珊瑚は思った。

　雪ちゃんがいるから、座敷にテーブルを出していただきましょう、とくららが言い、時生は押し入れから脚をたたんであったテーブルを出した。珊瑚も雪を抱きながら片手で手伝う。

「ほとんど貰《もら》いものだわ。バゲットは珊瑚さんのお店から。野菜は貴行《たかゆき》の畑から」

　お盆で料理を運びながら、くららはうれしそうに言った。甥御さんは、貴行さんっていうのか、と珊瑚は気づいた。

「出荷したキャベツの、外葉の部分がいっぱい残っていて、堆肥《たいひ》にするにも持て余している、って聞いたから、じゃあ、こっちへまとめて持って来て、って言ったの。外葉って、農薬がいっぱいついているようなイメージがあるけど、この人たちの農場は、基本的には無農薬でやっているから、その心配はないし、ちょうど栄養の塊の青葉の部分を捨ててしまうのは惜しいと思ったのよ」

「でも、外葉って、青臭いし、硬いし、結局おいしくありませんよ」

時生はぼそぼそと言った。テーブルの上には、茹《ゆ》でた野菜とコロッケ風のものとスープ、それに端に焦げ目がついているバゲットが並んだ。外葉らしきものは見当たらない。

「この人がそう言うからね、じゃあ、ちょっと待っててごらんなさいって、ごそごそ作り始めたの、まずこのスープを。これなら雪ちゃんも食べられると思うわ」

「色はグリーンアスパラガス・スープみたいだ」

珊瑚も恐る恐る口にする。柔らかく優しく、緑の風味が生きている。スプーンにとって、雪の口にもそっと入れる。口の端からこぼれるのを、あわててガーゼのハンカチで拭《ぬぐ》う。

「外葉をザクザク切って、圧力鍋《なべ》で炊いたの。軟らかくなって、アクも取れたそれを、プロセッサーにかけてどろどろにする。ベシャメル・ソースをつくって混ぜる。塩胡椒《こしょう》で調えて、おしまい。こっちはフィッシュ・ケーキ。魚のタラと、ジャガイモを茹でて潰《つぶ》して、このスープよりもっとどろどろにした——牛乳の代わりにサワークリームを使った、外葉ベシャメル・ソースで和《あ》えて、衣を付けて揚げるの。雪ちゃんには、中身だけあげたらいいわ」

「おいしい。どっちも。ベシャメル・ソースってなんですか」

「シチューなんかに使う、ホワイト・ソースのことです。小麦粉と牛乳とバターでつくるの」

時生はあっという間にスープを飲み干し、

「それを除けば材料費、ただみたいなもんですよ、スープに関しては。キャベツの外葉なんて、スーパーでもみんな捨てていく部分だし」

「もったいない、こういうのを飲むと」

珊瑚がしみじみ言うと、

「取りに来てくれるんだったら、ただであげますよ」

と、時生は真面目な顔で言った。その言葉に、珊瑚は自分の「アイディア」と結びつく可能性を感じて、思わず、

「もしかしたら、これからお世話になるかもしれません」

と、昂奮《こうふん》を抑えるように重々しく言った。その普段と違う調子が気になったらしく、え、どうしたの、と、もの問いたげな様子のくららに、珊瑚は、実は、と、「アイディア」について話した。それから、メロンパンを喜んでくれた聡君の話も。

「食べるもののことってとても大事だと思います。でも今までは自分のこととしてそう思っていた。それで誰かに喜んでもらうことが、あんなに嬉《うれ》しいものだとは思わなかっ

た」

「具体的には、何、パン屋さん？」

「食べものを扱うってだけで、まだ、形は決まらないんですけど、パンに限定しないで、もっと幅広く食べるものをつくっていきたいです」

時生は、うんうんとうなずき、

「それだったら、くららさん、アイディアいっぱいですよ」

「なんだかわくわくするわね」

と言う、くららの瞳《ひとみ》にも力が入っていた。

「このスープでもね、小麦粉がだめな人がいたら、ジャガイモを裏ごしして入れて、ヴィシソワーズ風にするとか、米粉を使うとか、代わりはいろいろあるものよ」

「くららさん、乗ってきましたね」

時生がからかうように言った。珊瑚は、

「でも、なんでくららさん、そんなに詳しいんですか」

家庭を営んでいる、というわけでもないようなのに。

「くららさんは、外国の修道院にいたことがあるんですよ」

時生の言葉に驚き、珊瑚はくららを見る。くららは苦笑して、

「そうなのよ」

「知らなかった」

「わざわざ言うほどのことじゃなし。カンボジアやボリビアとかに派遣されていたこともあるし、本部のあるローマにいたこともあります。カンボジアやボリビアのときは、地元の人と接する機会も多かったから、地元の食材については教えられたし、ローマでは半分自給自足しているようなところだったから、自然にいろんなこと、覚えていったんです」

それでもなぜ、修道院で働くことになったのか、それからなぜ、修道院を出ることになったのか、とくららに対する謎は膨らむ一方だったが、

「あ、そうだ、店主の桜井さんが、くららさんのつくった『メロンパンもどき』は、鹿児島の軽羹《かるかん》の材料と似ている、って言ってましたけど」

「そうかもしれません。小さい頃、家にいた人がよくつくってくれたので覚えていたの。その人が鹿児島の人だったような気もする」

ふうん、と分かったような分からないような顔をして、とりあえず珊瑚はうなずいた。

これからいろいろ考えなくちゃいけないわね。くららは自分が始めるように張り切って見えた。

「食べものを売るだけにするのか、食べる場所も提供するのか」

思わぬ事態の進展具合に、珊瑚は慌てて、

「あ、でも、資金が……。私、お金がないんです。だから、資金が貯まるまで働かないといけない」

「けど、融資が受けられるんじゃないかなあ」

　時生がそう言うと、

「……融資？」

「金融機関や公的機関が、新しく事業を始める人のためにお金を貸すんですよ。僕の友達で喫茶店を始めたやつがいて、なんかそんなこと言ってた。今はすごい低金利だから、貯めるのは大変だけど、金借りるんだったらめちゃくちゃ有利って」

「そうね、気の乗らない仕事に人生を費やしていつかお金が貯まるのを待つより、お金を借りてさっさとその仕事を始めてしまって、働きながらお金を返していく方がいいかもね」

　ばくちのような話なのに、くららも積極的だ。時生は、

「いくらぐらい借りられるのか、今度聞いておきましょうか」

「……どうなるか分からないんですが、参考のため、お願いします」

　今日、珊瑚が時生に頭を下げるのは、これで三度目だった。

　外国の修道院で暮らしたことがあり、昔、家に鹿児島の出身らしい人がいた、ということが、今日、珊瑚が知り得たくららに関する二つの情報である。

5

雪が熱を出した。初めての経験である。いっしょに寝ていてなんだか温かいとは思っていたのだが、明け方、ふと電灯を点《つ》けて、額の生え際が汗で濡《ぬ》れているのを見、もしやと体温計で測ったら、三十八度二分あった。とりあえず、ガーゼのハンカチを水で濡らして冷やす。

眼を閉じて寝ているが、息が少し荒い。指を小さな鼻孔の近くにもっていく。湿り気を帯びた熱い呼気が指に当たる。微《かす》かに目を開いた。潤んでいる。

「ゆーきー……」

小さく呟《つぶや》く。頬ずりして、つむじのところにキスをする。両肩を両手でそっと摑《つか》み、だいじょうぶだよ、と囁《ささや》く。おかあさんがいるからね。

雪は、あー、あー、と弱弱しく何か訴えようとする。その小さな唇が乾いている。そうだ、水分だ。もう一度立ち上がり、水差しに水を入れ、雪の頭を支えて水を含ませる。こぼれてくる。傍にあったタオルで拭《ふ》き取る。水枕もない。ああ、そうだ、と、立ち上がって流しのそばにおいてあったキャベツを取り、その葉を、大きく一枚むしり、雪の小さな頭の下に、そのカーブが沿うように案配して敷く。これはこの間くららが話してくれた、昔、開発途上国にシスターとして派遣され、病人の介護に当たっていたとき、現地の人たちから教わったという熱冷ましの方法だ。地元に自生する、大きくてしっかりした木立性の植物の葉を、頭に敷いたりおでこに被《かぶ》せたりする。国は違っても、また似たような植物で、同じような熱冷ましや頭痛に用いられている例を見てきて、「その後ローマに戻って、私自身、熱を出したとき、ふと思い立って、キャベツの葉を試してみたの。そしたらずいぶん気持ちが良かったの」

心なしか、雪の顔が緊張を解いたように思えた。

時計を見るともうすぐ七時だった。今日は仕事を休もうか。病院に連れて行った方がいいのだろうか。――病院。珊瑚は気が重くなる。まだ国民健康保険に入っていなかった。

少し呼吸が楽になった雪を見下ろしながら考える。無理して雪をくららさんの所へ連れていくか、雅美さんには迷惑かけるけれど、休むか。くららさんのところは他に子どもを預かっているわけではないから、頼めば何とか預かってくれるだろう。でも、病気の赤ん坊なんか、万が一変なことになったら、責任もあるし、嫌がられるかもしれない。いや、彼女はそういう人ではない。そういう人ではないけれど、もしそうだったらどうしよう。

……もとは木枠だった窓についている、安物のサッシがカタカタと音を立てている。

今日は風が強いようだ。

自分には絶対に頼れる、甘えられる人というのはいないのだ。

珊瑚はサッシ窓の外に目を遣《や》りながら乾いた気持ちでそう思った。

普通は、母親というものがそうなのだろう。だがそういう母親は、自分にはいないのだから、いないものとしてやっていくしかしようがないじゃないか。ないものねだりをしてもしようがない。

こういう「感慨と諦《あきら》め」が心のなかで起こるたびにそうするように、珊瑚は頭を振って自分に言い聞かせた。雪の額のガーゼを替え、敷いていたキャベツの葉も新しいものに取り替える。古いキャベツの葉はすっかり雪の熱を吸い温かくなっている。じきに冷えたら、また使おう。雪が寝入っているのを見て、そっとドアを開け、くららに電話をかけに行く。やめるにしろ預けるにしろ、この情報は伝えなければならない。

「あ、くららさんですか。朝早くすみません。珊瑚です」

「あら、珊瑚さん。どうしたの、何かあったの」

常ならぬ状況だと察したのだろう、くららの声が少し緊張していた。

「雪が、熱を出したんです」

「あら」

受話器の向こうでくららが眉《まゆ》をひそめるのが分かる。

「どんな具合？　咳《せき》とか？」

「咳はありません。ただ熱があるだけで。でも、喉《のど》が痛いのかもしれない。言ってくれないから分かりません」

「ようすはどう、つらそう？　泣いてるの？」

「いいえ、今は大人しく寝ています。キャベツの葉を敷いたら、少し楽になったみたい」

くららは一瞬黙って考えているようだった。

「それなら、風に当てないように暖かくして、連れて来てください。私がそっちに行って見ててあげてもいいんだけど、いざとなったら私にはこっちの方が、いろいろ手立てができるから」

「くららさん……」

「え？」

「私、あの、保険証、ないんです」

「……ああ、病院のこと？」

「ええ」

「それはうっかりしてましたね。つくりましょう、できるだけ早く」

とりあえず、いつものように連れていく、ということになった。くららと話すと、物事がとんとんと整理され、先行きに光が差してくるような気がする。

くららさんが熱のある子を嫌がるだって？　誰がそんなことを考えたのだ……。

部屋に戻ると、雪が半目を開けてこちらを見ていた。

「ごめんごめん、起きてたの」

そう話しかけながら、抱き上げて、授乳を始める。明らかに普段より吸い付く力が弱い。口元に力はないのに、触れたところが異様に熱い。

「今日もくららさんのところへいくのよ。おかあさんがいてあげられなくてごめん」

おかあさんがいてあげられなくてごめん、ともう一度心で呟く。あなたも、私にこう言うべきではなかったのか。

おかあさんがいてあげられなくてごめん。

今度は、小さかった自分自身に呟いた。

いつものバギーではなく、今日は雪をコートの内側に大事に抱えて、くららの家に運んだ。

「あらあら」

くららが待ちかねたように出てきて、雪を受け取った。雪はくららに抱かれても反応が鈍い。

「可哀そうに」

ぐったりしている雪を抱き取って、くららは一瞬半泣きのような顔をする。痛みを分かち合ってくれたような気がして、珊瑚は温かいものが胸に広がるのを感じる。

「この月齢って、免疫がついていく時期らしいから、慌ててお医者に連れていくより、なんとか体にこの危機を乗り越える経験をさせた方がいいような気がします。でも、ちゃんと気をつけて見ていますから。これは危ない、と思ったら、すぐに手を打ちます。あなたにも連絡します。だから、私に任せて」

お願いします、としか、珊瑚は言えなかった。


その日、くららから緊急の連絡は来なかった。珊瑚はいつものように一日勤め上げ、小走りになってくららの家に向かった。今日ほど帰りを急いだことはない。インターホンも鳴らさずに、戸を開け、開けながら、くららさん、すみませんでした、と声をかけた。

くららが奥から、

「あ、雪ちゃんはだいじょうぶだから、上がってらっしゃい」

ほっとする。部屋に入ると、雪がハイハイで寄ってきた。頬が上気している。目が潤んでいる。珊瑚を見つけてその目が輝く。抱き上げる。

「まだ、三十七度はあるんだけれど、だいぶ元気が出てきたから、大丈夫だと思うわ」

珊瑚は雪を軽く抱きしめた。この小さな体のなかで、何が起こっているんだろう。清らかな、清らかな雪。一生懸命、雑菌だらけのこの世に適応しようとしている。

「珊瑚さん、今日、泊まっていかない？　大丈夫だとは思うんだけど、せっかく良くなりかけたところに、夜風はあまり良くないと思うの」

思いもかけない申し出に、珊瑚は当初戸惑ったが、今夜もし何かあったらと思うと、ここで雪と過ごさせてもらえたらそれに越したことはない。

「考えてもみないことでしたが……もしそうさせていただけるんだったら、ありがたいです」

「じゃ、着替えとか、入り用のものを取りに、一旦《いったん》お帰りになる？」

「そうします」

「私その間に、夕飯の準備をしているわ」

そうか、夕飯なんてことも、考えもしなかった、と珊瑚は思った。

雪がおもちゃに気を取られているすきに、大急ぎで家に帰る。確かに、陽が落ちてからそれほど長く経っていないのに、すでに空気は湿気を含んで冷たい。今の雪をこの空気に晒《さら》すには忍びない。

雪のいない、寒々しい部屋。衣装箱から、雪の着替えと自分の分を取り出す。汗をかいたときのために、雪の着替えは多めに取った。自分の分の洗面用具といっしょに紙袋に入れ、またくららの家にとんぼ返りする。インターホンを押そうと思って、それはかえってくららの手を煩わせるような気がして、さっきと同じようにがらりと戸を開けた。

「取ってきました」

そう声をかけながら、廊下へ入る。

「ごめんなさい、私、今日はインターホンも押さずに」

「おかえりなさい。いいのよ、そんなこと」

台所で、菜を刻んでいるくららの後ろ姿を見ながら、珊瑚はあることに気づいた――インターホンなしに入ってこられた。

「くららさん、日中、鍵《かぎ》かけないんですか」

くららはふと手を止め、頬を赤くしたようだった。

「そういう習慣がないの」

台所に小ぶりの布団を敷いた大きな籐籠《とうかご》がおいてあって、雪はその中に寝ている。

「でも今の時代には、良くないことだとは分かってるわ。とくに人様のお子さんをお預かりしている立場としては」

珊瑚はなんといっていいのか分からない。それがくららのやり方なら、それでくららの周囲にまがまがしいことなど起きないような気がする。けれどそれを断言できるほど、人生経験が豊富なわけではなかった。

「できるだけ、鍵をかけるようにしますね。あ、今、かけてこようか……」

「かけました。私、反射的に鍵をかけてしまうんです。無意識に」

昔、鍵をかけなかったことに対する苦い思い出が、珊瑚にはある。だがそのことはもう、思い出さないことにしている。そんなことは自分の人生を左右するほどのことではない。だが、くららにはそういうことはないのだろう。

「偉いわ」

偉いのではない。学習しただけなのだ。そう言いたかったが、珊瑚は黙っていた。

「ここで、油揚げと菜っ葉を見ていてくださる？」

大きめの短冊に切った油揚げを鍋《なべ》に入れていたくららは、振り返って珊瑚に言った。

「はい」

と、近づいて菜箸《さいばし》を受け取る。

「油は入れないのですか」

「お鍋はね——薄過ぎる鍋ではだめだけれど——低い温度でじっくり熱してからものを入れれば、そんなに焦げ付かないのよ。特に油揚げは、それ自体に油があるから、お湯で油抜きする代わりに、こうして油をひかずにじっくり熱くなった鍋底に並べれば、自分の油をじりじり出してくれるし、少しくらい焦げたにしても、手間をかけて火にあぶって焼いて入れたのと同じような風味になるの」

「へえ」

菜箸で並べた油揚げを上から押さえつけ、じりじりと焼く。なるほど、油が染み出てくるようだ。くららはそこへ、

「じゃあ、菜っ葉を入れるわね」

と、ざっと切り刻んだ小松菜と水菜の混ぜた物を入れた。鍋いっぱいになった。

「簡単に混ぜてください。ちょっとだけしゅんとするように」

珊瑚が言われた通りにしていると、

「そこへ、みりん、おダシ、薄口しょうゆ、お塩ちょっぴり」

歌うように言って、くららは調味料を入れていった。鍋いっぱいだった菜っ葉が、三分の一ほどになった。珊瑚が菜箸でそれを混ぜている間、くららはカマスを焼いていた。

「もう、火を止めていいわよ。これは菜っ葉を煮込まないで、和《あ》える感じにするのがいいの」


テーブルの上には、汁もの、黒米の飯、風呂吹《ふろふ》き大根、今の菜っ葉とお揚げ、それにカマスの塩焼きが並んだ。

「さあ、いただきましょう」

「おいしそう。このお汁はなんですか」

それはね、と、くららはいたずらっぽい顔で、

「大根でダシをとったのよ」

「え？」

「つまり、大根を茹《ゆ》でるでしょ、茹で上がるでしょ、そのときの茹で汁。それにお塩を入れただけ」

「え？」

「飲んでごらんなさいな」

　勧められて、おそるおそる飲んでみた。なるほど、懐かしいような大根の風味がしている。塩味が効いている。

「あっさりしておいしいです」

「でしょ。体もとても温まるのよ。大根は、食品のなかでも一番アレルギーの出にくいものなんです。つまり、消化吸収するのに体に負担がかからない。それのスープだから、そのものよりなお優しい。体が弱っていると感じるときは、やってみるといいわよ」

「知らなかった」

「今日、雪ちゃんにあげようと思って。風呂吹き大根は、その副産物のようなものです」

「このごはんは」

「黒米っていう古代米を、胚芽米《はいがまい》に五分の一ほど混ぜて炊いたものなの。大根も野菜も、貴行のところのものだし、古代米はあの子がどこからか手に入れてくるのを、分けてもらうの」

珊瑚はその黒米を口に入れた。嚙《か》めば小豆《あずき》に似たような、それよりもずっと素朴な甘みが口に広がる。

「これもおいしいです」

「よかった」

珊瑚は自分も調理に参加した菜っ葉を口に入れながら、

「菜っ葉、たくさん入れましたね。しかも違う種類を」

「小松菜は幅広でしょう、水菜と形が全然違う。形の違う菜っ葉を組み合わせると、口に入れたとき、食感がいいのよ。しゃきしゃきするのと、柔らかいのと」

食べながら、なるほど、と納得した。

「こんなに菜っ葉が食べられたら、私のアパートの友だちは感動すると思います。なんか、彼女に悪いみたいな感じ」

言いながら急に、那美が、食堂をつくってよ、と言ったのを思い出した。そうだ、こういうのを、那美につくってあげたい。

「くららさん」

珊瑚は箸を置いて居住まいを正した。くららも慌てて「はい」と言って、箸を置いた。

「くららさん、料理を教えてください」

くららはよく分からない様子で、

「さっきみたいなの？」

「そうです」

「それなら、折に触れ、教えてあげられるわよ」

「私、やっぱり、本気でお店をつくりたいんです。今までは思いつきだけだったけど、だんだん覚悟ができてきました。そこで出すメニューを、いっしょに考えてください。

お願いします」

珊瑚は頭を下げた。くららはにっこり笑って、

「言われなくても、こんな楽しい企画、こちらからお願いしてまぜてもらいたいくらいよ」

珊瑚は心からほっとした顔をした。

「よかったぁ」

「ああ、そうだそうだ」

くららは立ち上がって、戸棚から紙を一枚、取り出した。

「これ、この間の、時生くんから。珊瑚さんに渡してくれって言って」

あ、どうも、と受け取り、見れば手書きのメモで、

先日話した、喫茶店を始めた友人に聞いてきました。

日本政策金融公庫というところが、「女性、若者／シニア起業家資金」というのをやってるそうです。窓口へ行って申込書などを提出、その後面談などがあるようです。融資額は七千二百万円以内、返済期間は十五年以内。運転資金というのもあって、それは少し違う、ということ。詳しいことは、直接彼に訊《き》いてみたらいいです。店の名はカルテット、場所はくららさんが知っています。

「七千二百万円なんて、どうしよう」

珊瑚は思いもよらぬ数字にうろたえる。

「全部借りなくていいんでしょう」

くららがおかしそうに笑う。

「必要なだけで。借りたら借りただけ、返さなくちゃならないんですよ」

「それは分かっています。けど、いくら要るのか、全然分からない」

「まず、どこで、何をしたいのか、考えなければ」

どこで、というのを考えるより、何を、を考える方が先決のように思えた。

「最初は総菜屋のようなものを考えていたんです。店頭で量り売りするような。でも、レストランみたいにその場で温かいものを出してあげられればいいなあ、とも思うようになって」

珊瑚は雪の寝顔に目を遣《や》った。ぐっすり寝入っている。

「メニューのなかに、アトピーの子どもも食べられるもの、それでいて普通の人が食べてもおいしいものも入れられたら、いいなあ、とか」

うんうん、とくららは真面目に聞いている。

「そう考えてたら、どんな店になるのか、想像もつかなくて」

「想像はつきますよ」

くららはこともなげに言った。

「それ、ぜんぶやったらいいのよ。総菜も売るカフェにしたらいいじゃないですか。アトピーの子も食べられる総菜も置いて、仕事帰りの疲れたお母さんが、とりあえず一品だけでも買って帰れるような」

「総菜も売るカフェ？」

「まず、店頭に総菜をディスプレイする。その奥に、椅子やテーブルを置いて、選んだ総菜をその場で食べたり、店内だけのメニューも提示したり」

「あ、なるほど」

急にわくわくしてくる。

「その『カルテット』、貴行と時生さんの共通の知人の店なの。コーヒーがおいしいので、私も時々行くのよ。場所はね」

と言って、珊瑚のアパートから歩いて十分ほどの町名を挙げた。

「そういえば、雪を連れて散歩に行ったとき、前を通ったような気がします、そんな名前のカフェ。雪の熱が引き次第、行ってみます」


その夜、初めて珊瑚はくららの家の風呂に入り、くららの家の布団に寝た。もしも帰る実家があるとしたら、こんな感じなのだろうか、と思った。あんまり気を許し過ぎてはいけない、と、珊瑚のなかの誰かが囁《ささや》く。

「たぬきばやし」が定休日の日、珊瑚はすっかり元気になった雪を連れ、「カルテット」へ出向いた。店主の外村《とむら》に連絡したら、午後の四時頃には、客も一段落して、話ができると思う、ということだったので、ちょうど雪の昼寝の時間に重なるように家を出た。案の定「カルテット」に着くころにはバギーの中で熟睡してくれていた。

「カルテット」の玄関先には、廃材を利用したらしい木の階段が、数段ではあったが入口のドアまで続いており、それはそれで味わいのある雰囲気なのだが、バギーでは上がりにくい。雪を抱いて、バギーを畳むという手段もあるが、せっかくここまでぐっすり寝ているものを、起こしたくない。困っていたら、階段から少し離れたところに緩やかなスロープがあり、それが階段のそれとは別の角度で入口ドアに繋《つな》がっていることに気づいた。ほっとしてバギーを上に傾け、そのスロープに乗り上げさせ、押してゆく。これはきっと、車椅子の人のためのものでもあるのだろう。赤ん坊がいなければ、こういうちょっとした気遣いにはなかなか気づくことがなかっただろう、と思う。

木製のドアを開けた瞬間に、コーヒーの香りに包まれた。こんな雰囲気、久しぶりだ、と陶然とする。室内に流れているジャズのピアノ曲が心地よい。客は三人ほどで、みな本を読んでいる。

奥のテーブルを片づけていたウェイターの青年が、こちらに気づく。

「いらっしゃいませ、どうぞ」

「あの、外村さんにお会いしたいのですが」

「あ、ちょっとお待ちください」

片づけたコップやカップをトレイに載せ、奥へ引っ込む。珊瑚はさりげなく辺りを見回す。壁の下方はずっと本棚になっており、様々な本が並んでいる。椅子も、規格品で全部揃えてあるわけではない。二つ同じものが揃っているのが珍しいくらいで、あとはばらばらな中古品だ。テーブルも同じように大きさも高さもばらばらで、けれど全体としてそれは不思議な落ち着きを感じさせた。

「やあ、どうも」

奥から髪を短く刈り上げた目つきの鋭そうな男が出てきた。

「時生から聞いています。外村です。珊瑚さん、でしたっけ」

「そうです。お時間取っていただいてありがとうございます」

「あ、そこにどうぞ」

外村は、手近にあった椅子を指した。それから雪の顔を覗《のぞ》き込み、

「よく寝てるなあ」

と、若干小声で言った。

「親孝行な子です」

「立ち入ったこと聞くけど、母子家庭なの？」

珊瑚は一瞬口ごもったが、おとがいを上げるようにして、

「そうです」

と答えた。

「そうか。じゃ、稼がなきゃね」

外村は目尻《めじり》に皺《しわ》をいっぱい作って微笑んで見せた。それ自体は好意的な笑みだったのだが、珊瑚は、少し何かのずれを感じた。そうなんだけど、でも、ただ稼ぎたいのとは違う……と、珊瑚は思い切って、

「やりがいのある仕事をしたいんです。人の生活を支えるような食べものを提供したい。生活ができることは大事だけど……」

「夢のようなことだよ、それは。けど、商売やるんだってこと、稼ぐことを忘れちゃいけない。自分がちゃんとゆとりのある生活を送っていればこそ、人にもそういうものを提供できるんだから」

はい、と珊瑚は、素直に応《こた》えた。確かに、それは一理ある。

「で、起業家資金のことだね」

「はい」

「自己資金あるの？」

「ないです」

「飲食店勤務の経験は？」

「ないです。あ、パン屋でアルバイトしてますけど……。それ、だめですよね」

「だめだね」

外村は首を振った。

「担保にするものある?」

「担保?」

「不動産とか」

「ないです」

「なんか資格ある? 調理師免許とか」

「ないです」

声がだんだん小さくなる。そうなんだ、現実ってこういうものなんだ……。

「やっぱり、そんな、都合のいい話ってないですよね」

珊瑚はしゅんとして呟《つぶや》く。外村は、

「いや、あるよ」

「え?」

「俺、今言ったもの、全部なかったもん」

「え?」

それから別人のようににやりと笑って、

「今、創業計画書に書かなければならないこと、言っただけ。記入例の紙、あげるよ」

外村は立ち上がり、レジのところへ行って、一枚の紙を持ってきた。

「これ」

「あ、どうも」

受け取って見てみると、「創業計画書・記入例」とあり、
創業されるのは、どのような目的、動機からですか。過去にご自分で事業を経営していたことはありますか。この事業の経験はありますか。お取扱いの商品・サービスを具体的にお書きください。セールスポイントは何ですか。

などという質問に自分で記入するようになっている。それから、珊瑚が驚いたことには、この計画書は、もっと具体的な材料の「仕入先」や、店の内外装工事の見積もりまで要求しているのである。更に、事業の見通しとして、(予想される)売上高から売上原価、細かい経費などを差し引いた利益を、創業当初と、軌道に乗った後(○年○月頃)の二つの場合に分けて書き込むようになっている。

「すごい」

珊瑚はため息をついた。

「本気でやろうと思うんなら、こんなの当たり前だろ」

外村は少し語気を荒くした。多少血の気の多い人なのかもしれない。

「はい」

その通りだと、珊瑚は思った。外村はすぐにトーンを戻して、

「国の事業だとしても、向こうも慈善活動じゃない。金貸しビジネスとして回収しなければならないから、とにかくきちんと返済してもらえるかどうか、ということが一番の

ポイントなんだ。だから、これは勝算のあるビジネスなんだ、ってことを、向こうにアピールしなくちゃならない。そのためには、さっき君が言っていた、『人の生活を支えるような食べものを提供したい』ってだけじゃだめだ。もっと具体的に、ちょうどいい物件が見つかった、ちょうどいい仕入れ先が見つかった、だから、今、金を借りて始めたいんだって強い動機があることを言わなくちゃ」

「はい。じゃ、まず物件を探してからですね」

外村はあきれたように、

「もちろんだよ。それから、ビジネスとして可能性がある、ってことを言うために、君だったら、提供するメニューを思い切り具体的に、いかにも食べたくなるように、あるいはこれは女性が食べたくなるだろうな——男でもいいけど、カフェって、まず、女性が気に入らないとね——って思われるようなものを提示することだね」

なるほど、と思う。いずれにしろ、カフェを始めるのなら、手がけないといけないソフトの部分だ。

「俺の場合はそれをやった。あとは熱意だね。面接官に、こいつはやる気があるって思わせなきゃ」

「分かりました。それで、あの、調理師免許なんですけど、やっぱりいるんでしょうか、飲食店であるからには」

「いや、あったら面接官に好印象にはなるだろうけど、絶対ってものでもない。けれど、保健所に行って、『食品衛生責任者養成講習会』ってのを、受けないといけない。それだけだよ」

よし、と珊瑚は思う。物件だ、まず。

6

「カルテット」からの帰り道、途中の不動産屋の前で珊瑚は足を止めた。ショーウィンドーに「物件」がずらりと並んでいる。ほとんどが住宅用の賃貸マンションで、「店舗用」というものはなかった。中に入って訊《き》いてみようか。けれど珊瑚は躊躇《ためら》う。心の中で、起こりうることをシミュレーションしてみた。

中に入ったとする。店員は「お住まいをお探しですか」とまず訊くだろう。そこで「いえ、新しく飲食店を開くんです」と応える（珊瑚はそれを考えると心臓の鼓動が速くなる気がした）。すると店員は「どのくらいの広さをご希望ですか」と、次に問うかもしれない。漠然としたイメージはあるけれど、具体的な数字が言えない。総菜用の陳列棚が置けて、あと、奥にテーブルが幾つか。自分一人で何とかやっていくとしたら、テーブル四つが限度だろう。テーブル一つに何人？　二人用三つと四人用一つくらい？

すると一度に十人か。まてまて、生活費や材料費、賃料のことを考えなければ。一月にいくら必要なんだろう。それによって一日に稼ぎ出さなければならないノルマが見えてくるはず。客は一回にどのくらい払うのか。一日に何人来るのか。テーブルの数は……。いろいろ考えると、どれから先に決めればいいのか、堂々巡りになってしまう。ああ、そうだ、とりあえず、メニューが先だ、と決心する。それから、ついさっき、まず物件だ、と思ったばかりだと自分にあきれる。

生まれて初めてのことだから、手順が分からないのだ。
気が、動転しているのだ。
珊瑚は、深呼吸して、またバギーを押しながら歩き出した。

家に帰ると同時に、雪が目を覚ました。夢見が悪かったのか、ぐずって泣き出した。今まで大人しく寝ていてくれたことがラッキーだった。授乳をしようとしても、嫌がる。ああ、そうだ、水。思いついて水差しを捉《つか》ませる。哺乳《ほにゅう》瓶の乳首を外して、ストローを付け替えた水差しだ。途端に泣き止んでごくごくと飲み始める。そうか、乾燥した外を連れ回していたんだ、喉《のど》が渇いていて当たり前だ。珊瑚は雪にすまなく思う。
雪と自分の夕食を済ませた後、ノートを取り出して、眺める。今まで、くららに教わった料理や、自分が食べてきておいしかったものが綴《つづ》ってあるノートだ。それと、今日外村から貰《もら》ってきた創業計画書の質問用紙を見ながら考える。

起業のコンセプトは、と考えて、つまり、自分が何をやりたいかってことなんだよね、と問い直す。食べたものが、そのままその人の元気に繋《つな》がるような、そういう「食」を仕事にしたい。うん、それだ、やっぱり。あの大根ダシのスープは絶対秋冬のメニューに入れよう。材料の仕入れ先は貴行と時生の農場にしようと思っているけれど、向こうも天候相手の仕事なので、予想される収穫高がいつも確実に見込めるわけではない。だから、仕入れ先は複数考えておいた方がいいだろう。それも、天候によるリスクを考えれば、産地同士は出来るだけ離れている方がいいかもしれない。

そうだ、どんなところでどんなふうに野菜が穫《と》れるのか、見に行きたい。そうしたら、もっと野菜のことも分かるだろう。そういうことが要するに、彼らの言う「セールスポイント」ということなのだろう。

珊瑚は、「やりたいこと」という理想と「セールスポイント」という現実の、二つのまったく異なる価値観が、折り合っていく現場に立っている感覚を、この晩初めてもった。

次の日の朝、珊瑚は雪を連れていつもより少し早目に家を出た。くららに、「カルテット」へ行った報告と、貴行の農場へ見学に行かせてもらえないか、という相談をするためだった。

「ああ、少し強面《こわもて》だけれど、悪い人じゃないわよ、外村さん」

本気でやろうと思っているのなら……と外村に叱られた話をすると、くららは、さもありなんという顔をして、珊瑚《さんご》を慰めた。

「ええ、それはよく分かりました。むしろ、親身になってくれてるってことも」

「そうそう。きっとそうだったんだと思いますよ」

「おかげでいろいろ勉強しなければならないことが見えてきて……。もっと、野菜のことも。貴行さんたちの農場、見学させてもらえないでしょうか」

「そうね」

くららはにっこり笑った。

「今日、電話して都合を訊いておきましょう」

「ありがとうございます。お願いします」

出勤前のことで、話し込む時間はなかったので、雪を預けてそのまま「たぬきばやし」に向かった。


「それはよく決意したわねえ」

ここが閉店した後、自分はカフェを開くつもりだ、と打ち明けると、雅美さんは目を丸くした。

「こんなときに、こっちはニュージーランドへ行ってしまうことになって、何にも力になれないけど……って、そもそも私たちがここをやめるから、こういうことになったのね」

雅美さんは、申し訳なさそうな、複雑な顔をした。

「珊瑚さん、私も、それ、混ぜて。混ぜてください」

由岐が、また雅美とは違った目の見開き方をして、昂奮《こうふん》を抑えた声で珊瑚に迫った。

珊瑚はその熱の勢いに押されるように少し身を引いた。

「……いっしょにやってくれるってこと？」

「そこで、雇って」

「えー」

珊瑚は思わず大声を出した。

「そんなの、無理よ、絶対。雪一人食べさせていけるかどうか、まだ分かんないのに……」

雅美さんは、

「そんなに無理なことではないかもよ。その、融資の申請書に、雇用人手当も付けとけばいいのよ。で、しばらくやってみて、やっぱりだめだったら辞めてもらえばいいんだし」

辞めてもらえばいい、という言葉に反応して、由岐は、

「そんなに簡単に。でも、私、実際結構役に立つと思う。前、カフェでバイトしたこと

もあるし、美大だからメニューに絵とかも描けるし。友だちに声かけて食事に来てもらうことだって……」

そう二人に言われると、珊瑚も、それは由岐がいてくれた方が心強い、と思う。現場に仲間がいるというだけでも。

「分かった。もうちょっと考えさせて。いろいろまだ、計画を立ててる段階だから」

「前向きに考えてね」

由岐が念を押す。

「うん、前向き前向き」

「でも、どこでやるか、場所、もう決めてあるの」

雅美さんが核心をついてくる。

「それが、まだなんです。一日にどのくらいの売り上げがあるのか、見込んでからじゃないと、どのくらいの賃料の場所が借りられるか分からないし……」

「それはそうよね……そうだ、良かったら、うちの什器《じゅうき》、持っていってもいいわよ」

「たぬきばやし」の厨房《ちゅうぼう》には、パン作り用の機器だけでなく、総菜パンの具を作るための鍋《なべ》やフライパンなども置いてある。

「え、ほんとですか」

思いもかけなかった——と言えば嘘になる。実は、厚手で大きなフライパンや鍋を見るたび、もし、これも要らなくなるんだったら、という思いが湧いてきていたのだった。

けれど、自分からはなかなか言い出せないでいた。

「ええ。本当はこの場所も、使ってもらえたらいいんだけど、これは別の予定があるから……」

とんでもない、と珊瑚は首を横に振った。そこまで期待していなかったし、正直な話、ここは自分の場所ではない、と思っていた。「たぬきばやし」には思い出が多過ぎて、そこを自分の使い勝手の良いように改造するということは出来ない。貸してもいい、と言われてもかえって戸惑っただろう。

だが、珊瑚が「店を持つ」という話は、「たぬきばやし」の主人夫婦の顔色を少し明るくした。自分たちが日本を去った後の珊瑚たちの去就が気になっていたのだろう。それに何か新しいことに挑戦しようという若い人のエネルギーが、彼らの気分を多少上向きにしたのかもしれなかった。


次の休日は二日続けての連休だった。桜井の検査入院のためであった。桜井の病気（もしくは抱えているだろう病気）がどういうものか、具体的には珊瑚たちに知らされていなかった。「歳をとると、皆定期的にやらなければならないことだから」という雅美さんの言葉を、そういうものなのかと受け取るしかなかった。初日、珊瑚はくららに雪を預けて、時生たちの農場見学に出かけた。四十分ほど電車に揺られ、着いた駅には、時生が迎えに来ているはずだった。改札を出てすぐ左の、ロータリーの端に車を停めて待っているから、と言われていたので、その通りに改札を出ると、果たして時生の軽トラックは左前方に停まっていた。珊瑚の姿を認めたらしく、バックミラーに向かって手を振り、エンジンをかけ始めた。珊瑚も駆け寄って、内側から開けられたドアに手をかけ、乗車した。

「やあーようこそ」

時生の笑顔は温かかった。何もかも肯定してくれそうな温かさだった。珊瑚はドアを閉め、

「こんにちは。わざわざありがとうございます」

と、会釈した。

「お忙しかったんじゃないんですか」

「今日は早朝からジャガイモの収穫で、今、一段落、といったところです。ちょうど気分転換でよかったんですよ」

軽トラックはそのまま駅の構内を出、駅前の規模の小さな住宅街を走り、すぐにススキやセイタカアワダチソウが路肩を陣取る郊外の道へ入った。

「外村にだいぶやられたんですか」

時生は笑いながら言った。

「え、どうして。あ、くららさん？」

「そう」

「はあー」

と、珊瑚は両手を前に伸ばして息を吐き、気持ちを整えた。

「まあ、ね。でも、勉強になったし、真剣にやらないとだめだって気にもなりました、おかげで。恨んでなんかいませんよ、ちっとも」

珊瑚は冗談めかして言い、それを聞いて時生はまた笑った。外村の弁護をするわけでもなく、珊瑚を力づけるでもなく、それきり何も訊《き》いてこないので、珊瑚は、

「そう言えば、以前、ちらっとお聞きしたことですけど、時生さん、保育士をやってらしたって……」

このことをくららが言ったのは、珊瑚自身が動揺していて余裕がないときだった。一瞬、え？　と思ったのだったが、詳しくは訊かずじまいだったのだ。

「ああ、ほんとの話です。珍しいでしょ、まだまだ」

「よく分からないけど、あまり聞きません」

「なんか、生命のパワーを日々感じられる仕事がしたいなあ、って、単純に思って始めたんですけど。でも、なんか、子どもと向き合うってことだけじゃすまない、いろんな問題が起こって来て、悩んでるときに、高校の部活の先輩だった貴行さんに、オーガニック農場の共同経営者にならないかって誘いを受けたんですよ。土触るのって、好きだったし、農業にも昔から興味があったから、えいやって、こっちに来たってわけです」

「はあ」

「いい加減みたいに聞こえる？」

「ううん。『生命のパワーを日々感じられる』って点では、一貫した生き方だと思う」

「そうそう」

時生は楽しそうに笑った。

車はやがて左折し、小道に入った。入口に、何か木でできた看板があったな、と思う間もなく、トタンでできた小屋の前で停まった。

「着いた。そっちから降りてください」

雑草が、隙間なく、というわけではないが、あちこちに生えている露地に、珊瑚は降り立った。

「なんか、空気が全然違う」

珊瑚は深呼吸した。奥には畑が広がっていた。畑と言っても、思い描いていたような整然としたものではなく、草が、茫々《ぼうぼう》とは言わぬまでも結構多く、まるで「この間まで畑だったもの」が一時的に打ち捨てられているようにも見えた。

「あそこは小松菜、水菜、白菜。こっちが大根。ネギにエシャロット、その向こうが、ズッキーニ……」

時生が腕を伸ばして説明していく。四棟ほど連なっているビニールハウスから、長い髪を後ろで一つにまとめ、長靴をはいた男性が出てきた。

「で、あれが貴行さん」

続きのように時生が説明した。貴行はこっちに気づき、お、というように手を挙げた。珊瑚は軽く一礼する。

「赤ちゃんは」

貴行がこちらに近づきながら声をかけた。

「くららさんが」

「あ、そう」

と言って、時生を見た。

「残念だったね」

時生は苦笑する。

「子ども、好きなんだ、こいつ」

あ、そうか、雪に会いたいと思っていてくれたのか、と珊瑚は、急速に心が軽くなるのを感じた。

「うちの叔母《おば》、変わってるでしょう」

「え？　変わってるっていうか……とにかく、教わることが多くて」

「教え好きなんだ。迷惑していない？」

「全然。私、くららさんと知り合えて、なんてラッキーだったんだろう、って思ってます」

「あ、信者が増えたな」

貴行はにやりとしながら時生をつつく真似をする。

「え？」

時生は、

「くららさん、いいでしょう。知ってることは何でも教えてくれるんだけど、偉そうじゃないし、おっちょこちょいのところもあるし。話題が豊富だから飽きないし」

そうそう、と珊瑚は頷《うなず》いた。時生はさらに、

「何よりいいのは、相手がどんなことやらかしても、絶対軽蔑《けいべつ》したり責めたりしないんだ。いつも、その人といっしょに考えてくれる」

ああ、そうだ、本当にくららさんはそういう人だ、と、珊瑚は大きく一つ、頷きながら思った。と、同時に、時生もまた、苦しい日々をくららに見守ってもらったことがあったのだろうか、という考えが頭をよぎった。目の前の時生に「苦しい日々」があったというのは、若い珊瑚には想像がつかなかった。貴行は、

「まあ、そんな人なんだ、僕の叔母は。ところで珊瑚さん、ズッキーニ、穫ってみる？今から収穫なんだけど」

「あ、お手伝いさせてください、ぜひ」

時生が、小屋から籠《かご》と鋏《はさみ》を持ってきた。珊瑚は二人の後について畑の方へ歩いた。歩を進めるたび、小さなグリーンの宝石のようなアマガエルや、バッタがあちこちに跳ねていった。珊瑚は今までの人生で、アマガエルというものを見たことはなかったので、

まずそのことに感激した。

「これ、いいですね、このカエル」

「かわいいですよね」

前を行く時生が同意する。

「よく見ると、とても精巧にできてる」

「ここです」

彼らが入って行った「ズッキーニの畑」は、けれど、他のどこにも増してなお畑らしくなかった。珊瑚の眼には、草むらの中に、更に大きな葉の藪《やぶ》が幾つかあるようにしか見えなかったが、

「ほら、これ」

と、時生が指すのを見ると、そこには、大きめのキュウリのようなものが生《な》っており、一旦《いったん》それに目が慣れると、次々にズッキーニが見えてきた。

「え、ズッキーニって、キュウリみたいに生るものだと思っていました」

「生ってるとこ見ると、カボチャの仲間だって分かるでしょ」

「カボチャの仲間なんですか」

珊瑚は思わず大きな声を出す。

「そう」

貴行は素っ気なく言うと、一個一個、チェックしながら鋏で実を切り離し、籠に入れ

ていった。

「じゃあ、珊瑚さんもこれで。このくらいの大きさのを切っていって下さい」

時生から鋏を渡され、

「これ、いいですか」

と、訊きながら、鋏を入れていく。明らかに小さいものもあるが、中には判断の難しいものもある。土から養分を摂《と》り、こうやって一つ一つ実が出来ていく神秘に、珊瑚は感激した。

「うわ、これ大きい」

男性の腕ほどもありそうな——ちょっと前の、雪ぐらいか、と珊瑚は思ったものだが——ズッキーニを見つけて、思わず叫んだ。

「ああ、それはもう、売り物にならないね。あとで食べよう。それも穫っておいて」

貴行に言われて、ずっしりと重いそのズッキーニを片手でしっかりホールドしながら切り離す。籠に入れると、ひどく場所をとった。

籠四つ分が満杯になり、時生が近くにおいてあった手押し車の方へ歩いたときだった。

「わっ」

と叫んで、

「すごいことになってる、ここ」

と、貴行に近くの莚《むしろ》の脇を指し示した。畑とその莚のアバウトな境の一面に、白いマッシュルームのような茸《きのこ》が生えてきていた。

「ホコリタケだな」

貴行は一目見てそう言った。

「まだ幼菌だから、食えるぞ」

「じゃ、集めましょうか」

時生はそう言うと、籠の下から小さめの麻袋を引き出して、そのホコリタケを採り始めた。珊瑚もしゃがんで加勢しようとした。

「あ、そうじゃなくて」

ホコリタケを引き抜こうとする珊瑚を、時生が制した。

「菌糸を、残しておくんです。茸採るときは」

そう言って、手にしていたナイフを見せた。いつの間にそんなものを取り出したのか、と思っていると、貴行が、

「はい、これ」

と言って、珊瑚に万能ナイフを渡した。

「いつも持ってるんですか、ナイフ」

「山に近いところで畑仕事していると、いつどういうことになるか分からないからね。仕分けしてるときに必要なこともあるし」

「マムシに出くわしたり、クマに遭ったり」

時生が茶化して、驚く珊瑚に、

「それは嘘です。マムシは出会っても逃げていくし、この辺ではまだクマは見ない」

ホコリタケを採り終わると、手押し車に籠といっしょに載せた。小屋の方へ向かうとき、

「エシャロット、ちょっと、穫ってくれる？」

と、貴行が珊瑚に頼んだ。

「……エシャロット、どれですか」

「そこにネギみたいなの、生えてるでしょう。とき、教えて」

ときと呼ばれた時生は、畑の中に入っていって、

「これこれ」

と、珊瑚の目には他の雑草とあまり変わりなく見える、確かに「ネギみたいなもの」を指した。

「根元に土寄せして、タマネギの小さな部分を軟白化してるんです。だから、こうやって、根元を握って掘りながら引っ張る」

確かに、ラッキョウのような根茎が穫れた。

「いくつ？」

「あ、その一株でいいよ」

貴行はホコリタケの量を見ながら応《こた》える。

それから皆で作業小屋へ戻り、一旦出荷用のズッキーニを降ろした後、後ろの方へ回り、そこにあった丸太小屋に入った。ここが彼らの住居らしかった。入ってすぐが居間で、奥に台所があった。直感だったが、珊瑚は、この家に女性が出入りしている気配を感じた。その「気配」は、この家全体に落ち着きを与えていた。貴行は、穫ってきた野菜をテーブルに置き、

「大きいズッキーニは、縦二つに割って、ちょっとくり抜いて、その実を刻んで挽き肉《ひにく》とか——パン粉抜きのハンバーグの種みたいなの——といっしょにするんだ。で、それをくり抜いてできたスペースに詰めてオーブンで焼く」

「はあ」

珊瑚は想像する。けれどそもそもズッキーニをそれほど食べたことがないので、食感が分からない。貴行はオーブンに火をつける。

「じゃ、僕、それにかかるから、珊瑚さんは、ホコリタケのそうじしてて」

時生がすかさず、絵筆のようなものを珊瑚に渡す。

「茸はね、洗わずに、それでゴミを落としていくんです。固いとこや黒いとこは、ナイフでちょっと削って」

「え、洗わないんですか」

「風味が落ちるでしょう」

そんなものなのか、と思う。自分は、そういうことを何にも知らないと、暗澹《あんたん》たる気分になる。時生は、皿や何かを準備している。珊瑚が黙々と作業をしているので、

「なんか、静かだね」

タマネギやズッキーニの中身のみじん切りを炒《いた》めていた貴行が、後ろを振り向いて声をかける。珊瑚はちょっと躊躇《ためら》ったが、

「こんなこと、何にも知らないで、よく店なんか開こうという気になったなあって思って」

「仕方ないよ。だって、珊瑚さん、まだ二十歳でしょう」

「二十一です」

「とにかくさ。そういう歳の頃って、僕も何も知らなかったよ。そして、自分で店を開こうなんてガッツもなければ、本当にやりたいことを考える気骨みたいなもんもなかった。それから考えれば、遥《はる》かに偉いよ」

貴行はフライパンを火から下ろし、濡《ぬ》れ布巾《ぶきん》の上に置いた。布巾が、シューと音を立てた。そして冷蔵庫から挽き肉を出し、ボウルに入れ、手当たり次第（と、珊瑚には思えた）様々な香辛料をかける。

「でも、それは、他に道がないからなんです。なんか行き当たりばったりで、ここまで来た気がしてます。気骨なんかない。いい加減でした、万事」

「そんなことありませんよ」

電話機の横で伝票の整理をしていた時生が声をかける。続きを何か言うかと思ったら、それきり黙ってまた伝票のチェックに戻った。外ではスズメが、まるで戦争でも起こったかのように鳴いている。

「スズメ、すごいですね」

「ときどきあんな風になるね、やつら。小屋の軒下にいっぱい巣をつくってるんだ。何かもめ事があったんだろう。あ、ホコリタケ、終わったら微塵《みじん》切りにして、うんと細かく、エシャロットもね」

これが結構大変な作業だった。ホコリタケの幼菌はなかなかじっとして切られてくれないのだった。貴行は挽き肉を捏《こ》ね始め、冷めたフライパンの中身をそこに入れた。更に捏ねて、最後にそれをズッキーニのボートに詰めていく。

「できた？　できたね。じゃ、それ、鍋《なべ》で炒めて。バター、はい。焦がさないようにして溶かしてから」

珊瑚に声をかけながら、当人はズッキーニをオーブンに入れている。珊瑚はガスを点火して鍋を温める。頃合いを見計らってバターを入れる。小さく泡を立てながらバターが鍋底を滑っていく。いい香りが辺りに広がる。これ使います、と手を伸ばして木杓子《きじゃくし》を取り、ホコリタケとエシャロットの微塵切りを鍋に入れ、混ぜ始める。

「塩をして、弱火でね。水が出てくるから、それが飛ぶまで」

時生はどこかに電話している。珊瑚の聞いたことのない野菜の名前が次々に出てくる。

ろうか。

数量も確認しているので、きっと野菜の搬入先だろう。スズメの鬨《とき》の声も止んだ。ホコリタケもすっかり水分がなくなってきて、もう形なくドロドロだ。こんなのでいいのだろうか。

「なんか、あまりきれいじゃないんですけど」

珊瑚は恐る恐る言ってみた。貴行は鍋を覗《のぞ》き、

「あ、上等上等。これ、デュクセルって言うんだよ」

「デュクセル？」

「そう。マッシュルームとかでつくることが多いんだけど。ホコリタケだったらもっとうまいかもな、って思って」

「このまま食べるんですか」

「肉に、載せたり巻いて焼いたりして食べることが多いかな、普通は。白ワインとか生クリームとか入れて、パスタに絡めることもあるし。隠し味みたいに——日本の味噌《みそ》みたいにね——使うことも結構ある。ブイヨンみたいにも使える。保存がきくんだ。牛乳や何やら入れて伸ばして茸ポタージュにもなる」

珊瑚には初めて聞く情報だ。

「よく御存じなんですね」

「向こうに農業研修に行ってたことがあるからね、いろいろ教わったんだ」

「向こう？」

「ヨーロッパ。スイスとか、フランスとか」

「そういえば、くららさんから聞いたような……」

「そうかもね。さっきの『大きくなり過ぎたズッキーニ』は、スイスの農家に住み込みで研修していた頃、そこの家のおばあちゃんがつくってくれた。デュクセルは、皆で森に茸《きのこ》狩りに行ったとき、友だちが茸を大量にコンパクトに保存する方法として教えてくれた。ね、あれだけあったホコリタケが、そんなもんでしょう」

　確かに、最初の量と比べると十分の一ほどになったかもしれない。

「スプーン一杯分ずつ、小分けにして冷凍しておけば、まあ、一年は優にもつよ。店やるんだったら、そういうものも常備しておく方がいいでしょう。あ、それもういいよ」

　珊瑚は火を止めた。


　ズッキーニが焼き上がり、天板ごと木切れを敷いたテーブルの上に置かれた。時生がそれの写真を撮る。薄切りのバゲット（これは珊瑚が手みやげに持ってきたものだ）を焼いたものとホコリタケ・デュクセルも。

「こうやって、具体的な野菜の調理法として、写真撮って宅配先や出荷先に野菜と一緒に送るんだ」

　忙しいはずの農家の昼食としてはきちんとつくるんだ、と珊瑚は意外に思っていたのだった。自分のためだったら申し訳ない、とも。けれど、こういう目的があったんだ、と合点した。こういうことも、また、彼らの仕事の一部なのだろう。

ようやく昼食のテーブルに着く。

「これ、パテみたいにバゲットに塗るとおいしいよ」

そう言われて、やってみると、口の中に濃厚な茸の香りがひろがった。

「すごい。森が凝縮されたみたいな味」

このコメントに、貴行も時生も相好を崩した。

「分かってるねえ、珊瑚ちゃん」

いつの間にか「ちゃん」づけになってしまった。

「これ、赤ワインに合うんですよ」

そう言って時生がワイングラスを三つ、テーブルに出す。

「え？」

と珊瑚が目を丸くすると、

「飲み過ぎなければ、午後の仕事に差し障りもないし、僕ら、ほとんど毎日。おいしい料理とおいしいワイン。これ以上、人生に望むものは——まあ、もう、一つ二つはあるか」

貴行たちの言うとおり、ホコリタケ・デュクセルは赤ワインと絶妙に合った。アルコールを飲む、というよりは、料理の一部を味わっているようだった。香辛料の効いたズッキーニの詰め物も食べ応えがあった。珊瑚もだんだん緊張が解けてきて、

「さっき、時生さんが電話で話していた野菜の名前、全然分からなかったんですけど」

「さっき？　ああ、あれはレストランに卸す野菜で……。例えばフィノッキオは、フェンネルのことです。ハーブの」

珊瑚がキョトンとしていると、貴行が、

「葉っぱは魚料理とかによく使われるんだけど、日本じゃまだ、株の方まで使いこなされていないんだ。スライスしたら生で十分おいしい。それを株でちゃんと引き取ってくれるとこがあるのはありがたいよね」

「小松菜や大根だけでなく、珍しい野菜も出してるんですね」

「楽しいでしょ。それにけっこう高値がつくから、ありがたい」

「畑の途中、なんかジャングルみたいな藪が枯れかかったの、あったでしょう。あれはカルチョーフィ、アーティチョーク。植えてから収穫まで二年待たないといけなかったけど、葉っぱがすごいワイルドでおもしろかったですよ。この初夏に収穫したんだけど、一旦《いったん》根付いたら、ほったらかしてても、来年もちゃんと出てくる」

「……だろう」

貴行が時生の言葉に、力を込めたひとことを足して、それがいかにも切実な祈りに満ちていたので、珊瑚は笑いこけた。

農業、というものについて、珊瑚が考えていたものとまったく違う生活が、そこにはあった。

7

「ところで、くららさんって、おいくつなんですか」

こんなことを珊瑚が気軽に聞けたのもワインのせいかもしれない。貴行と時生は目を見合わせた。

「そう言えば、僕もそれ、聞いたことない」

時生が暗に貴行に正解を求めると、

「本人が言ってないものを僕が言っていいものか。まあ、訊《き》いたらまちがいなく答えてくれるから言ってもかまわないだろう。僕の母より二つ下のはずだから、六十三、くらいかな」

「……六十三！　えーもうそんなになるのか。だって、この間までポニーテールとかして……」

くららさんがポニーテール、と、珊瑚はその図を想像しようとした。うまくできない。六十三、という年齢が、じっさいどういうものなのか、珊瑚には見当がつかない。六十代の人間にそんなに会ったわけではないので、比較のしようがないからだ。せいぜい雅美さんくらいか。いや、雅美さんはまだ四十代ではなかっただろうか……混乱してきた。

「それを言うなら、向こうにも言い分はあるだろうよ。あんただってこの間まで高校生だったじゃないか、とか」

　時生が高校生、というのは想像しやすかった。

「くららさん、昔、修道院にいたって聞きました」

　そうそう、と貴行は頷《うなず》き、

「わりに早くで結婚して、離婚して、それから『神と再婚して』、修道院で活動してたんだ。それは人間との結婚よりずっと長く続いた。で、それも本人が言うには『円満に勤め上げて』俗世に戻った。ちょうどその頃弱ってきていた自分の父親を看《み》とるため、と世間では見ていたようだが、本人はそんなことは言っていない。二つはたまたま重なったのだと僕は思ってるし、それが一番正解に近いと思う。それから父親、つまり僕の祖父のケアをしつつ、共働きでほったらかされてた姉の子ども、つまり僕の面倒もみる、という生活が続き、祖父が神の国に召され、彼女自身もやっと解放されたのが去年のこと。ざっとこんなところかな」

「たかさんの育ての親みたいな人。感謝しなくちゃ」

　時生がそう言うと貴行は冗談めかして十字を切りながら、

「主よ、ほめたたえられよ、姉妹なるクララのために」

「何ですか、それ」

「聖フランシスコが口ずさんだと言われる詩の一部。クララというのは、聖フランシスコの教えを体現化したような理想の女性。祖母が信仰してたんだ」

「それで、くららって名まえをつけたんですね」

珊瑚にはそういう家庭の生活というものが想像もつかない。

「そう。祖母もまさか、娘が修道院にまで入るとは思ってなかっただろうけど。叔母《おば》いわく、この世でやりたいことは全部やったから、悔いはないけど、赤ちゃんだけ、産んだことがなかった」

「それで、『赤ちゃん、お預かりします』と続くわけか」

時生が腑《ふ》に落ちた、というように頷いた。

「ほんと、ラッキーでした」

「さすがにちょっとやつれて見えたりした時期もあったけど。年齢より妙に幼く見えたり、ときどき賢者の知恵、みたいなひとことを発したりするのはそういう経歴のせいだろうね。いずれにしろ、世間とあまり関わっていない。彼女と話していると、そのメリットとデメリットを、感じるよね」

貴行の口調には努めて冷静に叔母を分析しようとしている、なんというか、「強がり」のようなものが感じられた。

「私、そのメリットの方の恩恵に浴しているわけなんですね」

珊瑚はしみじみと言った。

「いや、珊瑚ちゃんたちと知り合えて、彼女もうれしいんだと思うよ。人と人との関わりで、一方だけが恩恵を受けるなんてことはないよ。必ず相互作用があるものだから」

「それがいいものだといいんですけど」

「そうだよ、生き生きしてるよ、最近。なあ」

と、貴行は時生に相槌《あいづち》を求めた。

「くららさん？　ちょっとハイテンションかな、そう言えば。いや、子どもと関わると自然にそうなるもんだけど」

それはそうと、と、珊瑚は創業計画書の話をした。それには材料の仕入れ先を書く欄まであるということ。

「で、そこにここの農場の名前を書いてもいいでしょうか」

なんとなく、当然、二つ返事でＯＫが貰《もら》えるものと思っていた。そんなふうに思い込んでいた、ということに対して、自分はやはり甘かったのだと、帰り道、珊瑚は反省することになる。今まで気軽に話してくれていた貴行の顔から笑顔がふと消えた。ややあって、

「それはいいけど。僕たちのとこの野菜、安くないんだ」

時生が貴行を見つめた。けれど何も言わない。珊瑚は、急に突き放されたような気分になる。寒々とした風が、体の中を通っていったようだ。貴行は、

「互いに商売としてやるなら、これは言っとかないといけない。一回きりじゃなくて、ずっと取引する相手になるならなおのこと。珊瑚ちゃんがどういう店をイメージしているのか分かっているつもりだけど、きっと値段だってそんなに高くは考えていないでしょう。原材料に割ける予算はそう多くはないよね」

珊瑚は頷くしかない。

「リーズナブル、っていうことを、よく考えるんだ」

貴行は続ける。

「なんか、お買い得とか、安い、とかいう意味合いで使われがちな単語だけど、いろんな角度から考えて納得できる価格、っていうのかな。こちらがかけたエネルギーに見合った対価。確かにそれだけの価値はあると認めてもらえる生産品。僕はそういうリーズナブルなものをつくってきたし、珊瑚ちゃんを一人前の取引先として認める以上、他のレストランより安くするなんてことは出来ない。同じ値段で買ってもらわないといけない」

珊瑚は、咄嗟《とっさ》に返事が出来ない。貴行は、

「おどかしちゃったみたいだけど、でも、そんなべらぼうに高いなんてことはないんだよ。ただ、スーパーで買う同じ種類の小売りの野菜よりも確実に高い。安いというだけの条件だったら、それこそ外国産でいいわけでしょう。もし、低価格の店を目標にしているんだったら」

「安さだけを売りにするような店にはしないつもりです」

と、珊瑚は、きっぱり応《こた》えた。貴行は頷く。珊瑚は続ける。

「でも、リーズナブル、ということであれば、例えば、この間、くららさんのところでいただいた、キャベツの外葉、あれなんかはどうでしょう。売り物にしないということであれば、安く譲っていただけるんじゃないでしょうか」

「売り物にしない、ってことは、売らない、ってことなんだよ」

言っている内容に反して、貴行の口調は存外優しかった。

「ここの農場の生産品として、市場には出さない、って線引きされたものなんだ」

「けれど」

と、珊瑚は食い下がる。

「それでも、例えばでいいですから、貴行さんのおっしゃる、リーズナブルな対価をつけてみてください。原価はついてなくても、他のキャベツと同じように収穫もし、配達もするとなれば、その分のコストがつくでしょう。それも含めて、対価をつけてみてください」

貴行は時生を見る。時生が貴行の目を見ながら頷く。貴行は、

「だめだよ、やっぱり。これは価値観の問題なんだ」

珊瑚はため息をつく。貴行は、

「でも、外葉の始末はときの管轄だ。ときが、それを堆肥《たいひ》づくりに使おうが、近所の家

畜のえさに回そうが、あるいは自分の知り合いに譲ろうが、僕は関知しない」

え？　と、珊瑚は時生を見る。時生はにやりと微笑みながら頷く。

貴行の一見ビジネスライクな態度のおかげで、珊瑚もかえって、もう一軒農家を紹介してほしい、ということが、すらすらと言えた。貴行や時生もそれは嫌がらずに、というより積極的にイモ類だったらここ、サラダに使う葉物野菜ならあそこ、と、いくつかの農家の特徴と、彼らの得意とする作物について教えてくれた。なかでも佐々《さ さ》さんという農家については（貴行の口調からは並々ならぬ敬意が感じられた）、

「同じように無農薬でやっているのに、信じられないくらい草のないきれいな畑なんだ。なによりおいしいしね。あそこなんか、僕のところ以上に値をつけてもいいいと思うんだけど……」

「草がないって、どうして」

「抜くんですよ、ただひたすら」

時生が感に堪えない、というように首を振った。

「僕なんか以上に畑に対する美意識があって、レベルを落とさないんだ」

そこも訪ねたい、と珊瑚は思った。それを察したのか、

「そのうち、紹介しますよ」

時生が言った。そのうちじゃ困る、と珊瑚は内心焦る。創業計画書に書かないといけないのだ。教えられた住所と電話番号をノートに書き込み、帰ったら連絡してみようと

思う。

「ここで紹介してもらった、と言ってもいいですか」

「それはかまわないけど」

「それと、今、貸店舗を探してるんです。でも、大体いくらくらい家賃が払えるのか、見当もつかなくて。不動産屋に行っても、どういう物件を、ってまだ相談できないでいるんです」

「物件——たかさん、あの辺、地縁あるでしょう」

「物件かあ。不動産ね。一軒だけ知ってるけど、それはちょっと違うなあ」

「どんなものですか」

「あの辺り、保護樹林ていうのがあるんだ。区が助成金を出して屋敷林を保護しようっていう。僕の同級生の家が、その保護樹林付きの家なんだけど、もう何年も住んでないって言ってた。管理費がかかるだけだし、人を雇って落ち葉掃除もしないといけないし」

「そんなとこ、飲食店なんかできないでしょう」

時生が呆《あき》れた顔で言う。

「分かってるよ。あの辺りの物件っていうから、僕が知ってるとこを言っただけだよ。現実性のある話だとは思ってないよ」

「そういうとこ、なぜ飲食店には不向きなんですか」

珊瑚は不思議そうに言う。「物件」ならすべて可能性があるように思う。

「なぜって……。大体、民家だし。ほんとに普通の民家なんだ。靴脱いで、玄関入って。そういうとこなんだ。道路からも見えないしね。門から林の中入っていくんだ。昔はクワガタとかがいて、子どもには魅力的な場所だったけどね。今はお化け屋敷みたいになってるんじゃないかなあ」

珊瑚はなぜか惹《ひ》かれるものを感じる。

「そういうとこだと、借りるといくらくらいですか」

「さあ……。金取るかなあ、そんなんで」

「取るでしょう、取りますよ」

「売らないのは、やっぱり先祖代々の土地だからだってことみたいだよ。ただ、人が住まないと建物はどんどん傷むし」

「紹介してください、お願いします」

「言っとくけど、住めるかどうかも分からないんだよ。ましてや、そこで商売するなんて……」

「見るだけでも」

「……」

そのとき、外で車両が入ってくる音がした。

「わ、宅配便だ。もう取りに来た。わ、こんな時間だ」

二人とも慌てて立ち上がると、

「珊瑚ちゃんは出なくていいよ」

椅子を倒すようにして外へ出ていった。残された珊瑚は、呆然《ぼうぜん》とする。

自分のせいで、いつもより長い昼休みになってしまったのだろう、と申し訳なく思いつつ、所在ないので、空になった皿を集め、流しに持っていき、洗い始める。外では、数人の男たちが往《い》ったり来たりする慌ただしい音がしている。送り荷をトラックに積み込んでいるらしい。外の騒がしさとは裏腹に、窓からはのどかに陽が差して、今まで居なかった猫もどこからか入ってきた。壁側に置かれたソファの上に、勝手知ったる、という様子で飛び乗り、毛づくろいをしている。トラネコである。珊瑚の方をちらちらと見ている。

そこへ二人が帰ってくる。貴行が、

「ごめん、急に。あ、ウィトゲンシュタイン、帰っていたのか」

「え、なんて、今？　この猫の名前ですか」

「そう、ウィトゲンシュタイン。『語りえないものについては沈黙を守らなければならない』寡黙な猫なんだ。鳴いたの聞いたことない」

「はあ」

ウィトゲンシュタインは、ソファに座った貴行の膝《ひざ》の上に乗る。時生はテーブルの上に気づいて、

「あ、後片付けしてくれたの、ありがとう」

「いえ、長々とおじゃましてしまって。私、草抜きでもなんでもお手伝いして、それから帰ります」

「しばらくは帰れないよ」

時生が困ったような顔をして言う。

「え？」

「僕、ワイン飲んだでしょう。まあ、ちょっとだけだけど」

「ああ」

運転のことを言っているのだと分かるまで、少し時間がかかった。

「いつもはどうしてるんですか」

「すぐに運転しないといけないっていうときは飲まないよ」

時生が真面目な顔をつくる。貴行は、うん？　という笑いを含んだ表情をするが、

「まあ、じゃあ、手伝ってもらったら」

珊瑚がくららの家に帰り着くころにはすでに陽は落ちていた。

「すみません、遅くなって」

玄関で声をかけたが、貴行から連絡が入っていたらしく、出てきたくららはすぐ、

「珊瑚さんがもうすぐ帰ってくるから、来たら電話してって言ってましたよ」

言われた通り電話すると、貴行の用件というのは、例の保護樹林付き空家の話だった。その空家の持ち主は立花《たちばな》といい、家は正確には立花の母親の名義らしいのだが、本人は今、高齢者施設に入っていて、実質上はその立花の管理下にあるのだということだった。貴行が立花に連絡すると、立花はこの一件を面白がり、鍵《かぎ》は門のところにあるポストの蓋《ふた》に付いているから勝手に入ってみてもいいと言ったらしい。

「ポストの蓋の内側がスライドするようになっていて、そこに鍵が入っているんだって。場所は分かる？　叔母に、立花の家、って聞けばすぐ分かるよ」

聞いてみます、いろいろありがとうございました、と今日のことも含め、礼を言って電話を切った。

「立花さん？　ああ、珊瑚さん、絶対知ってますよ。ほら、そこの角を左へ、ずーっと歩いて行くと、こんもりとした森みたいなのが見えてくるでしょう？」

「ああ、はい……あれ、ですか。なんか、神社みたいに思ってました」

「神社――なるほど、お稲荷《いなり》さんくらいはあるかもしれないわね。明日もお休みなんでしょう？　行ってみましょうよ」

くららは浮き浮きして見えた。雪は寝ていたので、起こさないようにそっと抱き上げ、バギーに乗せた。バギーの上で、雪は一瞬寝返りを打つように体をくねらせたが、勝手知ったるバギーの上にいるのだと、無意識のうちに体は状況を判断したようで、横向きになってすぐに落ち着いた。

「では、明日」

小声で言い合って別れた。

翌日の朝食後、珊瑚はいつものように雪を連れてくららの家を訪れ、だが今日はともに立花の屋敷林へ向かった。前日に続き、よく晴れた日で、かなり手前から、家々の屋根を越えて聳《そび》え立つ、紅葉したケヤキと思しき樹木の樹冠の、鬱蒼《うっそう》とした塊が見えた。

「あれですね」

「すごい」

門はもちろん閉まっていたが、車が十分入っていける幅があった。ポストは少しさびついていたが、中に手を入れるとすぐにスライド板が手に触れ、鍵が二つ、出てきた。最初にトライした鍵は容易に回らず、別な方を試したが、これには前よりももっと確かな「これではない」という感覚があったので、再び最初にトライした方を試した。力を入れると、今度は回った。門を開けると独特の金属音がした。大きな鳥の羽が軋《きし》んでいるようだった。その「羽」を、少しだけ動かし、自分たちが入ってしまうと、また内側から閉めた。鍵はかけなかったが、かかっているように見えるよう、算段しておいた。入るとすぐに木々の壁に阻まれるので、道なりに右へ行く。貴行が言っていたように、踏みしめれば柔らかい腐葉土だ。道の先に民家が見える。雨戸が閉じられているが、たぶん一階はぐるりと縁側が取ってあるのだろうと思われた。ドアはアルミ製だったが、以前木製だったものが腐るか何かして急遽《きゅうきょ》便宜的に取り付けたもののようにも見えた。

「入ってみましょうか」

「私、最初に入ってみます。くららさん、雪としばらくここで待っていてください」

珊瑚はそう言って、ドアの鍵を開けた。くららは、微笑んで珊瑚を見ていた。

中は真っ暗だった。珊瑚はドアを開け放したまま、上がりかまちに置いてあったスリッパを、無意識に履こうとした。

「あ、珊瑚さん、スリッパは中をよく見て。こういうとこ、靴にムカデが入っていることがよくあるから」

ぎょっとして、中をチェックする。

「だいじょうぶみたいです」

「そう。ならいいけど。どこかにブレーカーがないかしら」

「いえ、だいじょうぶみたいです」

玄関にあるスイッチを押したら、灯《あか》りがついた。時折は誰かが窓を開けに来ているのだろう。しかし、さすがにカビの匂いがした。左手の引き戸を開けると、そこが居間になっているようだった。スイッチを押し、灯りをつけると畳敷きの八畳間が二つ、続いていた。思っていた通り、縁側がぐるりとそれを囲んでいる。珊瑚は硝子《ガラス》戸を開け、それから雨戸を戸袋にしまおうとした。戸袋と雨戸の間に落ち葉が挟まっていたこともあり、なかなかスムースにはいかなかったが、細い隙間から戸外の光が漏れると、なんだか世界がそこから開けてくるようだった。とりあえずがたがたとつっかえながら一枚は開けた。かさこそと、落ち葉を踏みしめる音がして、くららが雪のバギーと共にやってきた。

「おお」

くららは中を覗《のぞ》こうとする。

「なるほど。普通の家ね」

「そうですけど」

珊瑚は奥へ入っていった。硝子戸の仕切りがあり、開けると台所になっていた。六畳ほどだろうか。普通の家庭用のステンレス製の流しが備え付けられ、新しい家で使う予定のなかったらしいテーブルが置いてあった。流しの向こうはガラス窓で、うつくしく紅葉した細い三本の木が、まるで額縁に入った絵のように見えた。

このとき、この風景が珊瑚の心を捉《とら》えたのだった。この風景を見ながらだったら、どんなにハードな炊事仕事も続けられる気がした。

ここを借りることになる、と悟った。

階段を上がって二階へ行くと、そこには六畳間が二つあるだけだったが、これも窓と雨戸を開けると、外にはまた、絵のように紅葉した林の光景が広がっていた。あそこを通ってきたはずなのに、風景として見ると、まるで違うのだった。落ち葉を引き連れた風が一気に入って来て、階段を下り、開けた一階の窓の方へ出て行った。これでどんよりしていた空気も入れ替わり、雪も入ってこられるような気がした。

「くららさーん、ちょっと上がってきませんか」

珊瑚は上から下にいる二人に手を振った。

「凶悪な殺人犯が隠れてるってこともなさそうです」

くららが笑いながら雪を抱き上げ、上がってきた。

「あら、すてきじゃない」

くららが外を見て声を上げた。

「ここいいわね。ここにしたら？」

くららも直感の人なのだろう。そうやって重大な人生の決断もしてきたのだろう、と珊瑚はちらりと思った。

「でも、改造しなくちゃならないわね」

「させてもらえるでしょうか」

「お願いしましょう、それしかない」

雪は降りたそうにしている。さあ、どうぞ、汚れたら後で洗えばいいわね、とくららは自分に言い聞かせるようにして雪を床に降ろした。雪は途端にハイスピードでハイハイする。階段の下がり口まで行こうとしたところで珊瑚が慌ててピックアップに動く。

「うわ、手のひら真っ黒だ。雪、舐《な》めたらだめだよ」

そう言いながら、タオルのハンカチで拭《ふ》き取る。

「分かってはいたけどやっぱり汚れてるのね」

くららは悠長に言う。


立花の連絡先を教えてもらい、その夜、珊瑚は立花に電話をした。飲食店として貸してもらえるかどうかを訊《き》いたのだった。

あの家を生かしてくれるのだったら、その方が家にとってもいいだろう、柱さえ動かさなかったら、改造は、かまわない。ただし、費用はそっちもち。家賃は月十七万でどうだろう。

立花側の条件はそういうものだった。家賃十七万というのも、相場からすれば格安なのだろう。けれど、四畳半、月当たり一万八千円で暮らしている珊瑚にとっては、それは思わず、しばらく考えさせて下さい、というような金額だった。改造費のことや什器《じゅうき》のことも考えなければならない。しばらく悶々《もんもん》とした後、くららに電話し、今の立花の条件を伝えた。

「それは確かに高額な出資だろうけど、でもそのための金融ローンなのでしょう。それにそれはあの創業計画書に書き込めることじゃない」

そうだ、自分はあそこを借りると決意したんだ、すべてはそこを基準にして考えよう。

「くららさんのひとことで、決心がつきました」

そう言うと、

「いいえ、珊瑚さんの決心はついていたのよ。ただ、誰かにそれでいいって言ってほしかったのではない？」

「あー、そうなのかもしれません」

「それに常識から考えて、一戸建てで月十七万だなんて、この辺ではまずありませんよ」

　それも分かっている。

「楽しいじゃない。改造のことを考えるのは」

　実は珊瑚は、あの家を出てからずっと、そのことを考えていた。

　一階の床は、畳をはがしてフローリングにしなければならない。畳のまま、靴を脱いで入ってもらう、というのでもいいけれど、そうすると、ただでさえ狭い玄関が煩雑になる。始終、片付けていなければならない。床の高さは下げなくても、玄関から緩いスロープで床までくるような工夫をすればいい。ただ台所の床は、全面的に変えなければならないかもしれない、水はけを考えて。いずれにしろ、これも専門家に相談しながら、自分でできるところはやっていこう。

　少なくとも、これで月、十七万の出費は確実になった。一階は台所に八畳二間、六畳一間のいわゆる田の字型。八畳二間にいくつのテーブルが置けて、何人の客が入れるのか。六畳一間の方の扱いをどうしよう。これも店舗にすべきか。いや、こちらは台所の脇に当たるから、総菜を売るとしたらここがぴったりではないか。

延々考えているとすっかり夜も更けてしまった。雪は布団を蹴《け》り飛ばして寝ていた。起こさないようにそっと定位置に戻し、ついでにこめかみの辺りにキスをする。

翌日、「たぬきばやし」で、由岐にこのことを話すと、ぜひ自分も行きたいと言う。

「改造とか、改装とか、そういうの、大好き。障子ひっぺがしたり、壁、ぶち抜いたり……」

「それは心強い。何しろ、予算がないから、床も、できたら自分で張ろうと思ってるんだけど、無理だと思う？」

「無理だとは思わないけど、けっこう、大変だよ。素人がやって出来るのかなあ。誰か一人、プロに入ってもらって、その人の手伝いをするっていうのがいいんじゃない？ああ、うちのサークルに、なんかそんなのあったんじゃないかなあ。壁塗りサークル、とか」

「何それ」

「その現場の近くの土を使って、壁土をつくって、延々塗るの。これが癖になるんだって。すごく達成感あるんだって。遠い所でも交通費さえ出してくれたら行くって言ってたけど、ここなら交通費も要らないんじゃないかなあ」

「それ、ぜひ紹介して」

自分は最近何度、「紹介して」を言っていることだろう、と珊瑚はふと思う。昔の自分からはとうてい想像もつかない事態になっていた。

その日雪を迎えに行くと、くららが、

「ちょっと上がって、スープを飲んで行ってくれないかしら」

もちろん、オーケーだ。雪が奥から全速力でハイハイをしてやってくる。抱き留める。抱き上げる。そのまま片手で抱いて、靴を脱ぎ、上がる。キッチンへ向かうと、くららが鍋《なべ》からカップに何かをついでいるところで、

「はいはい、テーブルに座って」

と言われ、座るとすぐそのカップを渡された。

「雪ちゃんはちょっとこっちへおいで」

そう言ってくららは雪を抱き取り、そのまま珊瑚の隣に座った。雪は嫌がらない。隣に珊瑚がいるから安心していることもあるだろうが、やはり、だいぶくららに懐いてきたのだろう。珊瑚はスプーンでカップの中のものをつついた。

「これ、タマネギ？　ですね」

「そう、小玉のタマネギがたくさん手に入ったから、スープにしたの。簡単だし、おいしいから、お店のメニューにどうかしらと思って」

「おいしい。あっさりして、タマネギの甘みが出ていて……。どうやってつくるんですか」

「すごく簡単。小さなタマネギの、皮を剝《む》いたのを、まるごと鍋に並べて、コンソメスープで半透明になるまでことこと煮るだけ。カップには、煮上がったタマネギ一個とスープを注ぐ。カップは小さめがいいわね。タマネギが安定するから。スプーンでタマネギの皮を一枚ずつ剝いてみたり、まっ二つに割ったり、崩したり、その日によっていろいろ楽しみながら食べます。数センチ角に切った食パンを浮かべても、オニオングラタンみたいでおいしいのよ」

ああ、幸せだ、と珊瑚は思う。疲れて寒い中を帰って来て、こういうものを口にして、体に元気がつかないわけがない、と思う。

8

立花夫妻は、子連れで現れた。

家のことや敷地のことを、一度、現場で説明しよう、と立花義也《よしや》から連絡が来たので、珊瑚も少し緊張して、定休日、くららに雪を預けて「現場」へやってきたのだった。すると、前回閉まっていた門が大きく開いていて、そこに白いセダンが一台、停まっていた。車種に疎い珊瑚には、どういう車なのか分からなかったが、そこからは何か、「平均的な幸福」といったものが漂っているように思えた。主張がなく、威嚇がなく、敵意を感じさせない。これがいわゆる、ファミリーカーというものなのだろう、と、おおいに感心した。その「感心」には嫌みが混じっている、とすぐに気づく。そういうふうに自分が反応するのは、「平均的な幸福」から、遥《はる》かに遠いところにいる、という自覚からくる僻《ひが》みなのかもしれない、情けないことだ、と我に返って頭を振り、一旦《いったん》その「僻み」を吹き飛ばし、車の横を抜け、「物件」へと向かった。

「物件」は、すっかり雨戸が開けられ、二階を含め、窓も開け放たれていた。家の中に、誰かいる気配があった。近づくと、色白で童顔の男性が中から出てきて、

「珊瑚さん？」

「はい。初めまして、初めまして、立花です」

「初めまして」

二人で頭を下げ合っていると、奥から、

「いらしたの？」

と、声がして、これもまた色白で愛らしい童顔の女性が、

「あなたが珊瑚さん。お噂は聞いています」

にこにこしながら、さっと片手を差し出し、握手を求めた。珊瑚はちょっと面食らったが、おずおずとそれに応じた。

「妻の恵《けい》です。で、これが」

奥から、小さい男の子が走り寄ってきたかと思うと、立花の足にしがみついた。

「長男の、カイト、です。もうすぐ二歳」

カイトと呼ばれた男の子は、珊瑚の方を見ながら、立花に手を伸ばす。

「カイトくん。どんな字を書くんですか」

立花は、カイトを抱き上げ、

「海の人、って書いてカイト」

「ああ。海人。すてきな名前」

「海の日に生まれたってだけで……珊瑚さんも、お子さんいらっしゃるんでしょう。連れてこられるかと思って、うちも」

「ああ、でも、遊び相手には無理かもしれません。まだ八カ月ですから」

「お名前は」

「雪っていうんです。空から降ってくる……」

「すてきじゃないですか」

「雪の日に生まれたってだけで」

そこで皆で笑った。海の日に生まれた海人は、きょとんとしている。

「どうぞ上がってください。そろそろ窓も閉めて、暖かくしましょう。電気ストーブを持ってきたんです」

恵はそう言って、奥へ入り、硝子戸《ガラスど》を閉め始めた。珊瑚も上がってそれを手伝う。義也は二階へ向かった。

「すてきなご家族だったんです。奥さんの恵さんもとても優しくしてくださって……。彼女が義也さんを説得して、結局家賃を十五万にしてくださったんです」

「え、それはすごい。よかったじゃないですか」

くららは無邪気に喜んでみせたが、

「そうなんです」

珊瑚の顔は浮かない。

「何かあったんですか？」

くららの問いかけに、珊瑚はしばらく一点を見つめて黙っていたが、

「……嫉妬《しっと》だと思うんです、結局は」

「あら」

くららは面白がっているような顔をした。

「どうしてそう思うの」

「……ええ」

ええ、と言ったのは、別に何かを肯定したからではなく、ただ、自分の次の言葉への呼び水として発したに過ぎなかったのだが、それでも珊瑚はまだ考えている。くららは珊瑚が語り出すのを待っている。珊瑚は、ようやく、

「……たぶん、彼らは、海人君が熱を出せば、二人で心配し、相談して考える。チームとして、動ける。週末になれば、今日のように三人でどこかに出かける。日曜日の公園。笑顔と歓声。たぶん、恵さん自身、何の屈託もなくそういうものの中で育った。そして、自分とはかけ離れた、一人で赤ん坊を育て、生活のために開業しようとしている女の話を聞いた。心から同情した。自分にできることはないか、と考えた。そして、その女が少しでも楽になるように、家賃を安くするよう夫に働きかけた」

くららは静かに微笑んでいる。そして、

「そうね、まちがいなく、そんなところでしょう。それがどうしていけないの」

珊瑚は、黙っている。

「施し、みたいに感じますか？」

くららの言葉に、珊瑚は大きくため息をついた。

「そういうことなんだと思います」

「そう？　私には、彼女の、あなたに対する尊敬もあると思うけど」

珊瑚は激しく首を振る。

「同情です、まちがいなく。私が、雪と二人で生きていく、それだけのことが、人の同情を呼ぶ。そのことに、うすうすは気づいていました。くららさんだって、本当のところ、そうだったんではないですか。時生さんたちだって。いえ、そのことを、決して責めてるんじゃないんです。ものすごく、ありがたいことだと思ってるんです、本当に。

ただ、なんというか……。そういうことに頼って生きていくような自分が嫌なんです」

それだけ言うと、俯《うつむ》き、両手を合わせて額を支えた。くららはしばらく黙って珊瑚を見つめていたが、

「今までは、でも、そういうことにそれほど、なんというか、アレルギー反応みたいなのは出なかったでしょう。今日、『恵さんの優しさ』で、一気にそれが意識の表に出てきてしまった、ということなのかしら」

「……たぶん」

アレルギー反応、っていう言葉はぴったりかもしれない、と珊瑚は心の中で思った。

くららは、そう、とうなずき、

「なんでも外国の例を持ち出すのが馬鹿げているということは分かっているけれど、自分たちの文化や感じ方がすべてなんだって、思い込まないですむようにするためには、いろんな人たちがいることを知るのは、役に立つと思うの」

と、低く優しい声で話し始めた。

「『若草物語』に、クリスマスの朝、四姉妹が楽しみにしていたごちそうを、母親に言われてそのまま、町の貧しい人たちに持っていくところがあるでしょう。あの四姉妹は、ずっと楽しみにしていたことだけに、残念でならないと思ってもいるけれど、清々《すがすが》しい思いもする。欧米の国々の中にはね、自分たちがいつも施す側だと思っているところが多かった。やらなければならないという義務感だけで黙々とやってきたにしても、正し

いことをやっているという気持ちのよさがあることは否めない。自分たちが自己犠牲を払うことによって他者が喜ぶ、それを自分の喜びとすることで気持ちよくなるのか、優越欲求が満たされて、気持ちよくなるのか、或《ある》いはその両者は同じ一つのものなのか、その辺りが、意識されないでずっとやってきた。そこはとてもややこしいところだから、今は、手をつけないでおきましょう。問題は、人類が生まれてから、ずっと、ありがとうございます、とお礼を言いつつ施される側にあった人々のことです。感じていたのは感謝だけとは思えない。ごく稀《まれ》にはそれだけのこともあるだろうけれど、大かたは、六割の感謝、二割の屈辱感、二割の反感、みたいなものだったろうと思います。けれど、それでも生きていかないといけない、という現実が、彼らに頭を下げさせる。『施す側』の中の、センスのいい人々は、なんとなくそれを感じ取って、彼らに卑屈さを感じさせまいと余計に丁寧に接する、そうするとそのことがまた、彼らの屈辱感を倍加させる……」

くららはため息をついた。この辺りのことは、どうやら彼女の修道女としての海外活動で通ってきた葛藤《かっとう》であるらしかった。

「けれど、施す側もいろいろだけれど、施される側もいろいろです。施されてやってるんだ、おまえたちに善行をさせてやってるんだ、とばかり、貰《もら》ってやるという態度の人もいる。礼も何も言わず、当然の権利のようにもっともっとと要求してくる人たちもいる。それほどではなくても、施される、ということは、そのままプライドまで差し出さなければならない、ということでは全然ないのよ。なんというか、一番その人のプライドが試される、重要な瞬間なんです。もっとも、その前に、私は珊瑚さんが今、『施されてる』状態では全然ないと思ってるけど。もしあなたが、立花さんが家賃を十五万円に値引きしたってことに、そう感じているのなら……」

珊瑚はその言葉をさえぎり、

「プライドが試される、重要な瞬間っていうのは？」

くららは、そうね、と言って、何かを思い出そうとし、ゆっくりと、

「私が昔、ローマに赴任していたとき、貧しい人たちの住む地域に、寄付された服や食糧を定期的に運んでいたことがあったの」

「ああ、修道院の活動で？」

「そう。そこにいた、一人暮らしのおばあさん、ジュリアーナ。私が持っていくものを、まるで薔薇《ばら》の花束を受け取るように、にっこりと、優雅に、両手をこう、振り絞って……」

と、くららは両手を胸の前で握りしめ、目をつむって微笑みながら首を振って見せた。

「まあ、ありがとう、って受け取るの、毎回、毎回。それはやり過ぎたらかえって嫌みになって相手への攻撃になるような、微妙なラインなの。彼女はその辺を、完璧《かんぺき》に心得ていた。私は、いつも、自分が極上のプレゼントを差し上げたような気持ちにさせてもらったものです。それは、ジュリアーナの、私へのねぎらいだったの。ジュリアーナは、

地方の領主の家柄の出身だったんです。私が彼女のプライドを気遣っていることが、分かっていたのね。ちょっとやそっと、『施された』くらいで、ジュリアーナのプライドはびくともしないのよ。私を気持ちよくさせることが、彼女の『施し』だったのかもしれない」

珊瑚は苦笑した。

「プライドの鍛え方が違うのかもしれません」

「そうね。珊瑚さんはもっと鍛える必要があるかもしれませんね」

そこで二人で少し笑った。くららは、

「聖フランシスコの言葉に、施しはする方もそれを受ける方も幸いである、というのがありますが、ジュリアーナの文化的な背景にそういう認識があったかもしれない。確かに、私には珊瑚さんと雪ちゃんの役に立てれば、という気持ちがあります。それを同情と呼ぶかどうかは別にして。珊瑚さんは、同情を引くのがいや、と言っているけれど、たとえば、あなたの好きな石原吉郎がいたシベリアの抑留地で、彼らはそんなことを言っていられたかしら。彼らの中の誰かが、ソ連側の誰かの同情を引いて銃殺を免れたとか、パンを一個余計に貰って餓死を免れたとしたら、その『同情を引く力』は、その人が生きるための武器になったのではないかしら」

「……生きるための武器」

くららは、うなずいた。珊瑚は、

「そんなものを、武器にして生きるなんて悲しい。でも、それが私の現実なんだって、だんだん、分かってきました」

そして、傷ついた後のような笑顔を見せた。くららはその笑顔を痛々しく見遣《みや》って、

「その、恵さんだって、私は同情と呼ぶより、珊瑚さんに対する好意だったんだと思いますよ」

「ええ。私も彼女が好きです。だから、いろいろ考えて、これは私の彼女に対する嫉妬《しっと》なんだって、思ったんです。私にないものを持っているからって、反感を持つのは、それはやっぱり、私がおかしい」

「おかしくなんかないですよ。自然な感情ですよ。でも、彼女に反感を抱くことを、そういうふうに意識できれば、しめたものですよ」

「しめたものですか」

「そう、しめたもの」

ふふふ、と二人で笑う。

珊瑚さんにはね、なんというか、こちらが思わず応援したくなるようなところがあるんです、だからね、それを利用すればいいのよ……。

別れ際、くららはそう言ったが、珊瑚は、そんなものを「利用」する気になんかなれない、と思った。なんというか、人の好意を利用するなんて、そういうことは、「薄汚

い」、と思う。けれどそれは、まだまだ「プライドの鍛え方」が足りないということなのだろうか。そんなことにいちいち反応するのは、なまっちょろい「プライド」の証拠で、母子家庭でなりふりかまわず働かないといけない立場としては、もっとプライドを鍛え、ちょっとやそっとでは傷つかない鎧《よろい》のようなものにし、当然のような顔をして人の好意を渡り歩いて行くべきなのだろうか。

自分にそれができるかどうか、しばらく考える。

やっぱり、葛藤なしにはできない、と思う。

バギーを止め、中で寝ている雪を見つめる。

綱渡りのような人生だけれど、やれるところまでこれでやってみるしかない。あんたは、そういう母親といっしょに生きるんだ。

アパートに帰り、雪を寝かし、洗濯物をまとめて、共有廊下を歩いた。その端に洗濯機が置いてあるのだ。すると、目の前のドアが開いて、那美が出てきた。同じように洗濯物を抱えている。

「あ、久しぶり」

「今日は洗濯しようと準備していたら、珊瑚の部屋のドアが開く音が聞こえたから」

この、必要最小限のものしかないアパートにしては珍しく、洗濯機だけは、二台ある。

もともと一台であったのが、大家が先月新しく買い替えたので、古いものがこちらにきたのだ。

二人並んでそれぞれの洗濯機に向かいながら、

「そうだ、那美にはまだ言っていなかったけど、私、カフェ、開くことにしたんだ」

言ってしまって、自分でも、いよいよ、そうなんだ、という実感が湧いた。

「えー」

那美は、持っていた液体洗剤のボトルをとり落とさんばかりの驚きを見せた。

「うそー」

「ほんと、ほんと」

那美の大げさなリアクションと大声を周りに気兼ねしながら――雪が起きたらどうしよう――、珊瑚は洗濯物を洗濯槽に入れ終え、空いた両手で彼女をなだめる仕草をした。

「いつ？　いつそんなプロジェクトが進行してたの？」

「この間話したでしょ、そのとき、那美、私にカフェつくって、って、言ったよね」

「言った、言った。えー、そのせい？　まさか」

「話すから、まず、それ、なんとかしようよ」

「おお、そうだそうだ」

那美は手の中の洗剤ボトルを振り回しそうになっているのに気づき、慌てて適量を投入した。そしてキャップを閉め、改めて珊瑚に向き直った。

「私、最近昼夜逆転してたから、全然珊瑚と会う機会がなかったんだよね。雪は元気にしてるの？」

「この間、ちょっと風邪ひいたけど、ことなきをえて」

「ことなきをえて」

那美は面白そうに繰り返した。

「私、珊瑚のそういうしゃべり方、好きだよ」

珊瑚は、大きくため息をついた。

「うれしいよ、ともかくも。那美には同情で好かれてるんじゃないって分かって」

「なによそれ。まあいいや、それで、いつ、どこに、どんなカフェを」

珊瑚は、今までの経緯を大まかに話した。那美は、へえー、ラッキー、すごーいの三つを繰り返し合いの手に入れながら、けれど、場所が保護樹林内であることを知ると、途端に難しい顔をした。

「うーん、あそこねえ」

「知ってるの？」

「知ってるも何も。幽霊が出るって噂だよ」

「え？」

それは初耳だ。

「何の幽霊？」

「何のって、幽霊は幽霊だよ」

那美も詳しくは知らないらしい。

「鬱蒼《うっそう》としてるし、夜通ると怖いし、ってことじゃない？」

「うん、そうだと思う」

「でも、ここからそんなに遠くないよ。それに、総菜もつくるから、那美が注文したら、帰りにデリバリーしてあげるよ」

「それ、余りものを売りつけるってことじゃないの」

「あ、そういうことになる？」

「そういうことにならないように、食べに行くつもり。でも、近くに繁華街があるわけじゃなし、駅からだって、そりゃ、歩いていけるけど、数分で着く、ってもんじゃなし……。カフェつくる地の利は、あまりないんじゃないかなあ……」

「バス停は近くにあるよ」

「バスねえ……」

「それに、車も置けるし」

「車ねえ……」

「だめかなあ」

急に心細くなる。

「地味過ぎるよ。それに、何時までやってるの？」

「そう、そのこと……」

那美のような、帰宅時間の遅い勤め人のために、できるだけ遅くまで開けておきたいと思う。けれど、雪や預かってくれるくららのことを考えると、そんなに遅くまでは無理だとも思う。

「暗い夜道を、わざわざ通うかねえ、私ならともかく」

「那美は、あの場所、もう一つなんだね」

「もう一つも二つも三つも」

「……そうかあ」

いろんな意見があるもんだなあ、と珊瑚はため息をつく。


実際、意見はいろいろであった。

バイトが休みの日、由岐に現場を見せることになり、雪を連れて待ち合わせ場所の交差点まで行った。ちょうど由岐も向こうからこちらに向かってくるところで、珊瑚たちに気づくと、駆け足で近付きながら、

「わあ、ユキちゃん、初めまして、私もユキなのよ」

上ずった声で、雪の顔を覗《のぞ》き込んだ。雪が緊張するのが手に取るように分かったので、

「ほら、雪、こんにちは、だよ」

と言いながら、珊瑚は雪の近くに腰をおろし、頰を寄せた。

「かわいいなあ……。珊瑚さんに似てる」

「え、そう？」

意外なコメントに、珊瑚はたじろぐ。

「そんなこと、言われたことなかった。びっくりした」

「あら、そう？　似てるよ、こう、真面目ぶった顔」

「真面目、ぶった、顔」

珊瑚は、わざと反芻《はんすう》してみせる。

「あ、ごめん、気を悪くした？」

「若干」

まあ、そう見えるんだろうな、と実は妙に納得している。

「そう。でもかわいいんだよ、この顔」

由岐は言い過ぎたと思っているような素振りもなく、珊瑚を尻目《しりめ》に、雪に向かい、私たち、二人揃ってユキユキだねえ、あとで抱っこさせてね、と、かってに約束を取り付けていた。雪の世界もどんどん広がっていく、と、むすっと考え込んだような雪の顔を見ながら、珊瑚は思った。少し前の雪なら泣き出していたところだ。

那美の「現場」に対する感想を聞いたばかりだったから、実は珊瑚は、由岐の反応が少し怖かった。がっかりされるのではないかと思ったのだ。しかし、がっかりどころか、ほとんど熱狂的と言わんばかりの「気に入りぶり」だった。

門のところから、息を呑《の》んだように口数が少なくなり、門を入り、木々の間、母屋まで続く小道を見たとき、

「すごく、いいじゃありませんか」

興奮のあまり、由岐は敬語になっていた。どうも、気が高ぶると、敬語になるのが彼女の癖らしかった。

「もう、ここで決まり、ですよ」

「私もそのつもりだったんだけど、地の利が悪すぎるっていう人もいるのよ……」

由岐はその言葉をまったく無視して、

「いいですか。私、看板を描きます。それを、表の道路のところにおくんです。そして、次の看板を、門を入った正面のところに、右向きの矢印付きでおく。すでに物語じゃありませんか」

珊瑚には何が物語なのか分からない。由岐の描く看板も見当がつかない。そもそも、由岐の絵を見たことがないのだから。

家の前に着いて、前回と同じように鍵《かぎ》を開け、中に入り、雨戸やカーテンを開けた。恵が簡単に拭《ふ》き掃除をしてくれていたので、雪をそのまま床に降ろす。雪は廊下の端まで全速力でハイハイする。行きどまったところで、追いかけて、ぬいぐるみを抱えるように連れてくる。

「かわいいなあ、この、ぶすっとしているところが」

由岐が目を細める。雪はいつもぶすっとしているわけではない、と言い返そうとして、いや、今はそれどころではない、と、この間、立花から貰《もら》った家の図面のコピーを開いて見せる。

「大体、こんな感じなんだよね」

「ふんふん、なるほど。いいじゃないですか。まったくの民家、っていうのが。改造のし甲斐《がい》がある」

そう言って、図面から目を離した由岐は、獰猛《どうもう》な目つきで壁や天井を見回した。

「あのね、柱は残さないといけないんだ」

由岐の目つきに恐れをなした珊瑚は、慌てて付け加える。

「一番の問題は、床の高さをどうするか、ということなの。普通の民家みたいに入ってもらって、寝転ぶことができるような空間もいいかな、って思ったけど、そうすると、お客は靴を脱がなきゃならないでしょう。その辺りの混乱を、収拾しておけるだけの余裕は、たぶん、私にはない」

「ふんふん。下足番がいない、ってことですね」

由岐はじっと、考えていたが、

「いっそのこと、床を全部はがして、三和土《たたき》か、タイル敷きにする、とか」

「それはおおごとよ。厨房《ちゅうぼう》の高さはどうする？　トイレは？」

「でも、そのための融資でしょう」

まあ、それはそうだけど……と、珊瑚は口ごもった。

「湿気の問題もあるしね、こんな木の多いとこじゃ」

「木。それです。古材バンクっていうのがある。古い枕木とか、小学校で使われていた廃材とか」

珊瑚は外村の喫茶店を思い出した。確かに、あれはいい感じだった。

由岐は、

「その辺のこと、ちょっと建築科の子に訊《き》いときましょう」

一旦《いったん》その課題を引き受けると、

「で、肝心のカフェの名前は？」

と訊いてきた。珊瑚は、来るべきものが来た、とため息をついた。

「それなんだ。いくら考えても、いいアイディアが浮かばないの。『たぬきばやし』をもじって、『たぬきこばやし』とか。……あんまりでしょ、分かってるわよ」

「『たぬきこばやし』のことは忘れましょう」

由岐は、大急ぎ、というニュアンスを滲《にじ》ませながら早口で続けた。

「名前は、ずばり、『雪と珊瑚』で行きましょう」

「え？　そんなの。直接的すぎる。恥ずかしいよ」

珊瑚は驚いて首を振った。

「由来を聞かれたら、珊瑚に降る雪、っていうイメージがきれいだから、とかなんとか応《こた》えたらいいじゃないですか。実際、自分の名前を店名につける人、けっこういますよ」

「それ、スナックとか、バーとかでしょ」

「……種類はどうあれ」

「『雪と珊瑚』、か」

小さく呟《つぶや》いてみる。どう考えても照れ臭い。由岐は励ますように、

「看板にも書きやすいんですよ。絵心を誘われるネーミングだし」

「それこそ、スナックとまちがわれない？」

「スナックではありません、って書いたらいい」

珊瑚は慌てて、

「そんなこと書く必要はないよ、カフェと総菜の店、で」

由岐はにやりと笑った。

「じゃ、これで決まりですね」

珊瑚は脱力したような声を出す。

「はあー」

「私は好きですよ、これ。音だけ聞いてたら、由岐と珊瑚、とも聞こえるでしょう。二人でやっていくとしたら、ぴったりじゃないですか」

由岐のその言葉から、そうだ、創業計画書にある、人件費の欄にも、具体的に金額を

書き込まないといけない、と思い出す。

「由岐さん、今、まだ大学があるでしょう。フルタイムの仕事は無理だよね。ほんとにお手伝いをお願いするとしたら、どのくらい出られる？」

由岐は、待ってました、と言わんばかりに頷《うなず》いて見せ、

「今、大学のカリキュラムに『たぬきばやし』の勤務時間を合わせています。だから、今年度中は、『たぬきばやし』で働いている時間帯ならいつでもだいじょうぶ。来年度は、登録科目数も少なくて済むはずだし、よっぽど好きな授業があるのでない限り、こっちの——『雪と珊瑚』の——忙しい時間帯に合わせて登録するつもり」

では、当面、由岐が『たぬきばやし』で働いている時間帯と給料を書き込めばいいわけだ、と頭の中で概算する。

「最初の資金を借りるために、一ヵ月間の『創業当初』の人件費と、『軌道に乗った後』の人件費の二つを書かないといけないの。とりあえず、今、由岐さんが『たぬきばやし』で一ヵ月間に貰っているバイト料を『創業当初』分として、書いといていいかしら」

「もちろん。で、『軌道に乗った後』っていうのは？」

由岐は、興味しんしん、といった様子で、目を輝かせて訊いてきた。珊瑚は、

「想像もつかないよ、正直言って。けど、書かなきゃね。それは適当に上乗せして書いておく」

と言ってから、少し外の陽が陰ってきたのに気づく。

「そうだ、くららさんから、マテバシイの実を集めてきて、って言われてたんだ。由岐さんもちょっと手伝ってくれる？」

「マテバシイ？」

「ドングリ。大きくて長めの。この間教えてもらった」

そう言って、雪を抱えて外へ出、マテバシイの実を拾って由岐に見せた。

「おいしいんだって。由岐さんも、帰りにくららさんのところへ寄ろうよ。紹介するから。くららさんも由岐さんに会いたがっていたし。そのとき、このドングリ、きっと料理してくれるよ」

「おお、それは楽しみ」

珊瑚は、抱えていた雪を、陽の当たる、乾いて清潔そうな枯れ葉の上に置いた。また全速力で這《は》い回るかと思いきや、雪はおっかなびっくりという様子で辺りをこわごわ眺めている。

「雪ちゃん、びっくりしている」

「いろんなことが、初めてなんだよ、この子には」

珊瑚は微笑んで雪を見つめた。

「そうかあ」

由岐も目を細める。

雪は、上から枯れ葉が風に舞いながら落ちてくるのを、不思議そうに見ている。滞空時間が長い落ち葉もあれば、そうでない落ち葉もある。突然、びくっと、体を震わせた。すぐ後ろで、大きな栃《とち》の木の葉が、ばさっと落ちたのだ。泣き出すかと思ったが、ただ、瞬きもせず珊瑚を見つめ、じっとこらえた。その視線をこちらも瞬きせずに受け止めながら、よし、と、珊瑚はゆっくりと頷いて見せる。

9

簡単な作業ではなかったが、珊瑚はなんとか創業計画書を書き込み、政策金融公庫の支所から紹介されたアドバイザーのところへそれを持ち込んだ。

五十代と思われる小柄なアドバイザーは、珊瑚が予想していたよりは好意的だった。が、にこやかでいながら目は笑っていない面接中、呆《あき》れて絶句している、と見えることも多々あった。少なくとも珊瑚にはそう感じられた。けれど教えられたことも多かった。以前外村から言われたことでもあったが、金を貸す方としてまず確認しておきたいのは、勝算のある起業であるのかどうかということで、どうやら、○○がなかったら、あるいは△△が基準に達していなかったら貸さない、というような杓子《しゃくし》定規なものでもなさそうだった。特に時代の空気とニーズを読まなければならないような客商売の可能性については、金を貸す貸さないを査定する方にも特有の「勘」のようなものが必要なのだろう。

が、それにしても、珊瑚の「創業計画」では、この種の仕事の経験者として挙げられるのは、せいぜい以前喫茶店でアルバイトしていたという雇用予定者の由岐だけであったし、自己資金などゼロそのものなのだ。アドバイザーの目が一瞬見開かれるたび、今更ながらいかに世間知らずな企画であるかと思い知らされた。いくらやる気があったとしても、それで借入資金が下りることはほとんどないだろう、という気がしてきた。

数度の面接や物件見学を経、ほとんどすべての項目を書き直し、どうにか借入申込書を提出するまでにこぎつけた。

雪を預かっている日中、くららは立花家の保護樹林で過ごすことが多くなった。敷地の乾いたところに敷物を敷いて座らせておくと、雪はじっと落ちてくる枯れ葉を見つめ、またそれを拾ったりして飽きることを知らないようだった。くららの方は、その間歌を歌いながら近くで草を抜いたり、落ちている枝を一所にまとめたり、持参の本や新聞を読んだりして過ごす。この小遠足は二人それぞれに、気持ちよく時を過ごせる楽しみにもなっていた。

支所で申込書を提出した後、バスで帰ってきた珊瑚は、保護樹林のすぐ近くのバス停で降り、そこで過ごしているはずの二人のところへ向かった。向こうからやってくるのが珊瑚だと分かると、雪は枯れ葉を散らしながら珊瑚のもとへ全力で這い這いした。くららが声をあげて笑う。

「ゆーきー。戦車みたい」

珊瑚も笑いながら雪を抱き上げる。

「借りられることなんか、絶対ないって気がしてきました」

敷物に座りながら、珊瑚はくららに嘆いた。

「四百万の借金なんて、たとえ借りられたにしても、ほんとに返していけるのか」

「やってみないと分からないじゃないですか」

くららはいつもの、こちらを呑《の》み込もうとするような勢いの笑顔でそう言う。これで暗示にかかってしまうのか、と、珊瑚はちらりと思う。

「若いうちですよ」

「人ごとみたいに。くららさんだって、まだまだ若いじゃないですか」

「『まだ若い』って言われるってことは、年寄りってことですよ」

くららはわざと悲しそうな顔をつくって見せた。珊瑚は苦笑して首を横に振る。まったく口でくららさんには敵《かな》わない、と思う。くららは、

「私、珊瑚さんをけしかけてるみたい？」

珊瑚は少し首をかしげて、

「うーん。けしかけている、と、力づけている、の、中間くらいでしょうか」

「珊瑚さんはいつも、言葉を正確に使おうとしますね」

くららが感心したように言うと、膝《ひざ》に抱いていた雪が、ふと、くららを見上げてじっと見つめる。くららはそれに視線を合わせ、頷いて見せる。そして、

「雪ちゃんは、この頃、よく私に笑いかけてくれるんですよ。今日はジョウビタキっていう小鳥が長いこと近くにとまっていたの。朗々と鳴く小鳥ではないんだけれど、一定の間をおいて、ヒン、ヒン、ヒン、ってとてもよく通る声で鳴くんです。そしたら、雪ちゃんは、そのジョウビタキに向かっても、ニコニコ笑いかけて、こう、挨拶《あいさつ》するみたいに、手まで上げるの。まるで、聖フランシスコみたいだって思いました」

聖フランシスコって、前も聞いたような気がするけど、どんな人だったっけ……と、珊瑚が考えていると、

「少し冷えてきたみたいだし、もう帰りましょうか」

確かに、急に日が陰ってきた。そうですね、と言って立ち上がり、珊瑚が雪を抱いている間、くららは手早く敷物をたたんだ。

並んで歩きながら、珊瑚は辺りを見回し、

「ここも、なんだかずいぶんきれいになりましたね。人が出入りするってだけで、林もずいぶん変わるんですね」

「私たちも気持ちいい。林の方もそうだったら理想的ですね」

不思議な空間だと思う、高い木々のつくる空間は。聖堂のような静けさがある。そう思っていたから、くららの口から、アッシジの聖堂の話が出たとき、あれほど惹《ひ》きつけられたのだろうか。

くららの家に着いて、ちょっと上がって温まっていったら、という言葉に甘え、いつものように雪と二人、上がり込んだ。くららはストーブをつけ、その上に薬缶《やかん》を置いて、「あ、今日はお茶の類を切らしていたんだった、なんてことでしょう」と呟《つぶや》いた。そんなこと、と、珊瑚が首を横に振ると、

「ごめんなさいね。でも、さ湯だって、体を温めるのには十分足りるのよ」

それから、何か思い出したのか、しばらく黙っていたが、

「これから珊瑚さんがやろうとしている食べもののことを扱う仕事って、本当に大事だと思いますよ。一番確実に人に元気を与える」

「そうだと、ほんとうに嬉《うれ》しいんですけど」

それが珊瑚の理想だが、今はまだ、遥《はる》か遠い先に在る理想だ。くららは、

「以前、外国で地震にあった直後の町へ支援に行ったことがありました」

「外国って、どこですか」

「イタリア。イタリアに、アッシジという古い、小さな町があります。町と言っても、スバシオ山というなだらかな山の中腹にあって、遠くから見ると、そこだけ山肌にへばりつくようにして石造りの建物が密集しているの。ロケーション的には村と言ってもい

い場所なんですが、道は狭いけれど石畳で、軒を並べる家々の構成は明らかに町。建物の建材は、たいていが近くで採れる薄桃色と白い石だから、どことなく晴れやか。そんな町が、どうして山の中に突然生えてきたようにそこにあるかというと、そこは聖フランシスコの所縁《ゆかり》の土地なんです。巡礼地になっているんですね」

あ、またフランシスコだ、と、珊瑚は思う。確か、貴行さんのところでも聞いた、と思い出す。

「聖フランシスコって、どういう人なんですか。くららさん、さっきも小鳥に笑いかけた雪を見ていて、聖フランシスコみたいだって思ったって言ったでしょう。そのとき聞きそびれてしまって。以前、くららさんの名前は、聖フランシスコの弟子にちなんだものなんだって、貴行さんから聞いたけれど」

くららは、自分の名前の由来に珊瑚が言及すると微苦笑した。

「もともとは裕福な商人の家に生まれて、放蕩三昧《ほうとうざんまい》の生活をしていた、甘やかされた坊ちゃんだった方なんです。あるときを契機にして、すっかり生まれ変わったように、自分の持ち物をすべて放棄して、すさまじい祈りの修行をする隠修士になるの。ほんとうに烈《はげ》しい修行をして――それを尊いと思うかどうかは別にして――でも彼も結局は若いときに亡くなったから、試行錯誤の途中だったのではないかと思うのね。清貧の実践を重んじて、本を所有することさえ否定していたとされます。常に貧しい身なりをしていた。服にわざと大きなつぎを当てさせたりしたこともあったとも伝えられています」

「うーん」

珊瑚は素直にそれを賛美できなかった。

「貧しい身なりをしていた、っていうのが、所有することを拒否した結果、ってことなら分かりますが、必要もないつぎを当ててわざとみすぼらしく見えるようにするっていうのはそれって結局パフォーマンスなんじゃないですか。人の目を意識し過ぎ」

珊瑚の、信仰的なバイアスから自由な発言の、力強い素朴さに、くららは声を出して笑った。それから、

「そういう感想が出てくるのももっともだけれど、私たちには、言い伝えられていることでしか彼を知る手立てがありません。その言い伝えでさえ、矛盾することがいっぱい出てくる。でも、後の世の人たちが言い伝えてきたことって、結局は彼ら個々人の望むように解釈されてきた範囲を出ないと思うんです。フランシスコの真意やほんとうに起こったことが何であったのかに近づくには、こちら側の想像力を働かせるしかない。服につぎ、の話だって、彼が自分の過去に虚飾の傾向があったと反省した結果かもしれない。彼がまれに見る内省的な人で、常に囁《ささや》きかけてくる闇の力と、自分自身の中にある闇と命がけで戦っていたことは事実だと思います」

ストーブの上で薬缶が微《かす》かに、シューシューと、音を立て始めた。ストーブは雪が触らないようにサークルで囲ってある。雪が積み木の置いてある片隅へ行きたそうに身をよじったので、珊瑚は雪を床に降ろした。雪はすばやく這《は》い這いでそこへたどり着き、

積み木を触り始める。

　宗教のことはよく分からないが、くららの言っていることには、どこか「自分がずっと知りたいと思っていたこと」の一つだと、思わせるような求心力があった。少なくともそのときの珊瑚はそう感じた。くららは、

「ともあれ、真実のフランシスコのことは、正確には分からない。それはどんな聖人でも同じことで、けれど、だからといって、ないがしろにしていいということではない。大切なことは、彼らが私たちの心の中でどう機能しているかということです。信仰は人を支えうる力をもったものです。もちろんそれが必要でない人もいる。人工透析が文字通り生きるのに必須《ひっす》の命脈になっている人もいれば、それと関係なく生きている人もいるように」

　私は関係ない、と珊瑚は思う。自分自身を頼りに生きてきた、自負のようなものもある。くららさんだって、強い人だと思う。けれど、くららさんは信仰を選んだのだろうか。珊瑚は何となくそのことが訊《き》けないでいる。

「アッシジは、町全体が、そういうフランシスコ信仰で、生きているような町でした。サン・フランシスコ聖堂には、聖人たちのうつくしいフレスコ画が壁や天井に描かれていて、それもまた人々の尊崇を集めていた。なにしろ山の斜面にある町だから、道という道は皆坂道だし、建物も土台は斜めに切れている。道自体も細くて狭くて曲がっていて、真っ直ぐのところなんかほとんどないの。そんなところで大地震が起こったものだ

から大変。まともに建っている建物なんかなかった。おびただしい数の人が亡くなった。修道会でも何人もの死者を出しました。サン・フランシスコ聖堂のフレスコ画もひどい被害を受けました。特に、上部の――サン・フランシスコ聖堂は上部と下部に分かれていて、上部の方がずっと天井が高かったです――そこの、天井に描かれた聖人たち。何百年もそこに在るもの、そしてこれからも在り続けるもの、と私も信じて疑わなかった、聖人たち。それが、文字通り、天が音を立てて崩れてきた。一瞬にして、全てが瓦礫《がれき》となり土埃《つちぼこり》が舞いました。その少し前に起きていた地震の被害状況を調べに来ていた、技術者二人と、修道士二人も亡くなりました。ちょうど天井の真下にいたんです。居合わせたカメラマンが撮ったその瞬間の映像が全国に流れたものだから、その衝撃の経験は広く深くイタリア人の共有するところのものとなりました」

見たこともないはずなのに、まるで映画の一場面のように珊瑚の脳裏にそれが浮かぶ。相槌《あいづち》も打てないでいる珊瑚に、くららは続けた。

「地震が起こった直後には、消防士と共に民間の人たちも駆けつけて、その人たちは、半分泣きながら、その粉々になった破片を、外の芝生の上に運んだんです。破片、ですよ。ほんとうに、一辺が数センチ、切手ほどの大きさくらいしかない」

それは珊瑚には、容易に共感できるものではなかった。すでに破片になったものなど、集めてどうなるというのだろう。

「そんなことより、下敷きになった人を救う方が大切ではないですか」

「もちろん、少なくともフレスコ画の下敷きになった人々は、すぐに救助されましたよ。例の四人以外は、何とか助かりもしました。けれど、駆けつけた人々の、粉々になったフレスコ画を見たときの絶望と、それでもなんとかならないかという必死な気持ち。まるでバラバラになった家族の、あるいは自分自身の手足を、泣きながら集めるかのような。その自然発生的に集まったボランティアの人たちは、一ヵ月間、現場で、その小さな小さな破片を拾い続けた。その破片の数は、数十万、とも言われています」

くららが、ほうっと、ため息をつくのを見て、珊瑚は、

「くららさんは、それを……」

「見ていました。地震の発生から二日後、私の所属していた会が組織した、復興支援団体の一人として、現場にいました。被災者の食事の世話や様々な雑用、つまりその場で求められる行動を臨機応変にとることを目的として。私は、でもそれを拾う気にだけはなれなかったんです。もっとほかに、手を差し伸べるべき場所と人がいると、信じていた。生きている人間の方が大切。そうではありませんか？　けれど、私の同僚の一人は、当たり前のことのように、その中に入っていき、共に拾い集め始めた。その姿を見たとき、自分と、彼らの信仰との間の、徹底的な隔絶を感じました」

そう言うとくららはちょっと黙った。それから、

「その作業は修復のプロたちに引き継がれた。破片は全て丁寧に洗われ、色素や欠けなど丹念にチェックされた。彼らは延々と続く、終わりのないジグソーパズルのような作

業に来る日も来る日も黙々と取り組み、なんと、その二年後には八点のフレスコ画が、そして九年後には、完全ではなかったけれど、天井のフレスコ画も、元に戻ったんです」

「えー」

すごい、と珊瑚は心から讃嘆《さんたん》する。それを見てくららは嬉《うれ》しそうに微笑み、

「ほんとうにすごい。四人もの人を圧《お》し潰《つぶ》し、粉々に砕け散ったフレスコ画が、再び天井に戻った。でもね、亡くなった技術者の方々はお気の毒だったけれど、修道士として亡くなった二人のことを、ときどき想像するんです。聖人たちのいる天が、自分の上に降り注ぐ」

くららは目を閉じて微笑んだ。そういうくららの口調に、珊瑚はそれこそ、くららが「破片を拾い始めた同僚」に感じたであろう隔絶と同じような距離感を感じた。くららは目を開けると、

「それは、修道士として、法悦の極致ではなかったかと」

このときくららの目の奥に在る何かには、さらに彼女を理解不能な遠い人間のように感じさせるものがあった。それは、初めてのことだった。思わず、

「天井が落ちてきたら、それは驚きと恐怖以外の何物でもないと思います」

珊瑚は突き放したような声で言った。自分でも意外だった。けれど、言いだした言葉はそこで止まらなかった。

「くららさんにとって、信仰って何なんですか。くららさんは、フランシスコのことも、キリスト教のことも、信仰を持っている人の言葉にしては、最初はきちんと、なんか、客観的、っていうか、ちゃんと距離があるっていうか、安心して聞いていられるのに……なのに……」

くららは瞬きをしない目で珊瑚を見つめた。しばらく黙っていたが、

「信仰のことは、人には言わないことにしています」

とだけ、早口で言った。パタンと、目の前でドアが閉められたような気がした。けれど、くららのこの反応は、最初から分かっていたような気もした。珊瑚はこのとき自分が少し、境界を越えたことも認識していた。くららは、閉めたドアを再び開けるように、

「フランシスコは、野の草や鳥、森羅万象あらゆることに対して、慈しむ気持ちを持っていらした。弟子に対してすら『服従する心』を持っていらした。けれど彼が自分に関することで一貫して弟子たちに禁じていたことがあったの。それは、自分が祈っているとき、覗《のぞ》き見をしたらいけないということ。私は、それは、もしかしたら、ものすごく大切なことじゃないかと思うの。祈りだけは、他者と共有できない。祈りは、個人が個人であることとの根本にあるもの」

これは彼女がさっき、「信仰のことは人には言わない」と言ったことの、くららなりの補足なのだと珊瑚は感じた。

「けれどね、アッシジの現場にいたとき、だんだん、見えてきたこともあります。他に

やることがないわけではない。むしろ他にやらなければならないことが山積みになっていた状況で、彼らが、なぜそこまで、必死になったのか。自分の家がガラガラと音を立てて崩れるっていうのは、大変なことよ。それにも増して、幼い頃から敬い親しんだ聖人たちの像が崩れ去るっていうのは、自分たちを形づくってきた何かの瓦解《がかい》にも等しいこと。聖人たちの像を繋《つな》ぎ合わせようとする試みは、被災でバラバラになった自分自身を繋ぎ合わせる作業の始まりでもあったのだ、と」

くららは、ストーブの上でしゅんしゅんと沸いていた薬缶から湯呑《ゆのみ》に湯を汲《く》み、「どんな絶望的な状況からでも、人には潜在的に復興しようと立ち上がる力がある。その試みは、いつか、必ずなされる。でも、それを、現実的な足場から確実なものにしていくのは温かい飲み物や食べ物――スープでもお茶でも、たとえ一杯のさ湯でも。そういうことも、見えてきました」

そう言って、珊瑚に手渡した。珊瑚は肯《うなず》いた。くららと、自分自身に向かって。

宗教のことは知らない。

でも、こうやって他者から温かい何かを手渡してもらう――それがたとえさ湯であっても――そのことには、生きていく力に結び付く何かがある。それは確かなことだ。

10

「たぬきばやし」のバイトが珍しく午前中で終わり――桜井たちが午後から用事があるというので――珊瑚がくららの家へ行くと、くららはちょうど台所で雪のためのおかゆをつくっているところだった。

「今日はまた、早かったんですね」

「ええ、急に、今日は午後休みってことになって。ニュージーランド行きを控えて、いろいろと忙しいみたいで」

　そう言いながら雪を抱く。雪は珊瑚に抱かれて、突然、

「ぶぅ」

　と、唇を震わせて息を吐いた。

「ぶーう」

　珊瑚は、自分も同じように応じて、

「これ、最近よくやるんです」

「そうそう。歯が生えるところでむず痒《がゆ》いのかしらねえ」

「え？」

言われて慌てて指で雪の唇をめくるようにして中を覗き込むと、下の歯茎からほんの少し、白いものが顔を出そうとしているのが見えた。それは明らかに歯茎そのものとは異質のものだった。

「あー。本当。えーどうして気づかなかったんだろう」

「気づかなかった？　ああ、そういうものかもしれませんね。実は私も今朝気づいて。でも珊瑚さんは知ってるんだと思ってた」

「知りません、気づかなかった」

珊瑚は興奮していた。雪に歯が生えたのだ。

「もしかしたら、夕べ？　寝ているうちに生えたのかも。本当に、どんどんできることが増えてきて」

くららは目を細めた。しゃべりながら青菜やちりめんじゃこを入れたおかゆを碗《わん》につぎ、それからまた別の碗に移した。それからまた別の碗に。珊瑚はその動作をじっと見ている。それに気づき、

「ああ、これね。こうすると、焼き物の碗がおかゆの熱をとってくれるでしょ。出来上がりは熱すぎるから」

「なるほど」

珊瑚は感心してうなずく。くららは碗の中のおかゆをスプーンですくって熱を確かめ、

「さあ、できた。雪ちゃんをベビーチェアに乗せてあげてください」

雪は座らされ、スプーンを持たされる。何ともぎこちない仕草でスプーンをお碗に立てる。あまり注意を向けすぎると、かえって雪を緊張させると思ったのか、くららは突然顔を珊瑚に向け、

「計画書では、月々どのくらい返さないといけないことになったんですか」

珊瑚が先日役所に提出した借入申込書について訊《き》いてきた。今まで二人の間でそういう具体的な金額までは話題に上ったことはなかった。借入申込書自体の存在は、そもそもくららの目の前で時生が珊瑚に教え、くららも応援してきたことだったから、当然のこととして承知していたのだが。珊瑚の方には、そんなことまで相談に乗ってもらうのは行き過ぎではないかという遠慮もあり、取り立てて細かな内容までは話さなかったのだ。今急に訊いてきたくららの口調にも、こんなこと訊いてよかったかしら、というような躊躇《ためら》いが感じられた。だがここまで珊瑚の生活に関わるようになった以上、ある程度の「内部事情」は了解しておいた方が何かと動きやすい、という思いもくららにはあっただろうし、珊瑚の方も具体的に決まったら話しておくべき、とは前々からなんとなく思っていたことだった。それで、珊瑚は担当アドバイザーと共に練り上げた案と数字について改めて打ち明けることにした。だが、くららに話さなかったこともある。保証人のことだ。

珊瑚のように自己資金がない場合、保証人の存在は絶対だった。当初、書類だけ読んで計画を練っていたとき、珊瑚はそのことを知らなかった。

保証人がいる場合といない場合では、利率にも差があった。無論のこと、いない方が高い。たとえば四百万を五年で返済する場合、保証人がいれば年利は一・八五パーセント、返済総額は四百十九万円、月々の返済は七万円ほどとなる。いなければ、そして更に担保にするものがない場合には、年利は三・五パーセントに上がる。返済総額は四百三十六万六千円、月々の返済は七万三千円ほどとなる。総額で十七万六千円違う。十七万六千円の差、というのは、今の珊瑚には大きい。けれど、それで誰にも迷惑をかけないですむと思えば、価値はある気がする。

保証人になってくれと頼むのは、その瞬間、自分を腹の底ではどう思っているのか白状しろ、と相手に返事を迫るようなものだ。信用しているのかどうか、本当は関わり合いになりたくないと思っているのではないか、相手の一瞬の表情が物語る。いわば、暴力的に、突然、相手を試すことになる。

親がいれば、当然のように無条件で保証人になってくれ、そういうことも考えずに済んだだろう。珊瑚は、今のアパートを借りるとき、保証人が必要だと不動産屋に言われ、途方に暮れた末、アルバイトを申し込んだばかりの「たぬきばやし」の主人夫妻に頼んだ。我ながら、思い詰めた顔をしていただろうと思う。そのときの雅美の顔を今でも覚えている。珊瑚の視線を受け止めるように、瞬きもせずにこちらの顔を見つめ返し、ゆっくりと、「分かったわ」とうなずいた。あの瞬間、雅美さんは珊瑚に関してどういう立ち位置をとるか、腹をくくったのだ。珊瑚はありがたいと思うと同時に、こういうことは、できることならもうやりたくない、と思ったのだった。

けれど、担当アドバイザーと話すうち、保証人なしで資金を借りる場合、現行の制度では自己資金の存在が不可欠だと分かってきた。

書類の説明を読んだだけでは分からなかったこの事実に直面したとき、珊瑚は愕然《がくぜん》とした。雅美さん夫婦にもくららにも、もうこれ以上依存したくないと思う。しかし、保証人は必要だ。では、誰に「頭を下げる」のか。

ここまで考え、そうか、この葛藤《かっとう》は「頭を下げたくない」というプライドの葛藤なのだと気づいた。目から鱗《うろこ》が落ちたような思いだった。それなら話は早い。自分のプライドをどう処するか、は、ここ数ヵ月珊瑚がずっと焦点を当ててきた問題だった。これは克服しなければならない課題だとも覚悟してきた。

いよいよ覚悟を実行に移すときがやってきたわけだった。

くららは、珊瑚が結局誰を保証人に立てたのか訊かなかった。

保証人を立て、四百万を七年返済。それが珊瑚の選んだ返済方法だった。そうすると金利は二・〇五パーセント、八十三回返済で、月々の返済額は平均して五万円ほどです む。家賃が十五万円。それで二十万円。あとは、光熱費に材料費、人件費。由岐には当面忙しい時間帯だけ、昼、二時間、夜、三時間の一日五時間、時給八百円で働いてもらうとして、月二十五日だと十万円。どう考えても、月四十万は経費に必要になる。自分自身の生活費も勘定に入れないといけない。そうすると、最低でも五十万円以上は月収として得たい。ひと月、最低でも五十万を捻出《ねんしゅつ》するためには週六日、月二十五日働くとして一日二万円平均は稼がなければならない。

「とすると、一人七百円のランチを食べてもらったとしても、一日当たり二十八、九人は来てもらわなければならないというわけです。まあ、きりのいいところで三十人、としましょうか」

「うーん」

珊瑚の説明に、くららは眉間《みけん》にしわを寄せる。それがどういう規模の飲食店を意味するのか、イメージが湧かないのだろう。自分だって、そうだった、と珊瑚はうなずく。

雪は、孤軍奮闘してちりめんじゃこと青菜の入ったお粥《かゆ》を食べている。食べている、というより、スコップで何かを掘ろうとしているような勢いである。まだ、指先だけを器用に使う、ということに慣れていないので、スプーンを操ろうとすれば体全体に無駄な力が入ってしまうのだろう。くららも珊瑚もときどき横目でそれをちらちら見ながら、手は貸さない。雪は口の周りや手をおかゆだらけにしているが、それでも幾分かは口の中に入っていくのか、いらいらとする様子もなく黙々と同じ作業に従事している。

「それにしても七百円は安いんじゃないですか。そんな値段で、質の高い料理が提供できるかしら。貴行が聞いたら怒り出しますよ」

「野菜を茹《ゆ》でただけとか、焼いただけ、蒸しただけとかいうような、ほんの少し塩をつけたぐらいの、シンプルな調理のものをメインにしようと思うんです。ただし野菜も力のあるものを集めて、塩もおいしいものを選んで。アレルギーがあったり、菜食主義だったりする人も食べられるような。それに、スープと、ごはんかパンを付ける。パンは、出来るだけ自分で、イーストなしのものをつくってみます。バターか、オリーヴオイルか、選べるようにして」

「あら、それはいいですね。ごはんも、そしたら、玄米にするの？」

「いいえ、雑穀米の、割合を選べる、っていうのにしようかと思ってます。普通のレストランだと、雑穀米といっても、実際は雑穀は少しだけ、彩り程度にしか入っていないことが多いでしょう。雑穀を一割にしてくれとか、五分にしてくれとか、自分で頼めるように」

「それなら胃弱の人も、自分の消化能力によって選べますね。でも、それは準備が大変ではない？」

「白米と雑穀を、あらかじめ別々に炊いて、注文を受けてから、炊いてある雑穀をスプーンですくって混ぜる、というのはどうでしょう」

珊瑚はいたずらっぽく目を輝かせてくららを見つめた。

「なるほど、なるほど。白米だけがいい、っていう人も、もちろんいるでしょうしね」

「ええ。もっといいのは、それだと、米アレルギーの人も、主食をチョイスできるってことなんです」

「え？　ああ……」

「そう、つまり、雑穀だけにしてあげることが、簡単にできるんです」

「そうね。けれど重篤なアレルギー患者になると、たとえその料理自体にアレルゲンになる食品――卵とか牛乳とか――が入っていなくても、同じ場所でそれが調理されたというだけでアレルギーを発症することがありますよ。空気中に微量なアレルギー物質が残っているんでしょう。まあ、そういう人までは対応できなくても、そこまでいかないアレルギーの人ならなんとかなるかもしれません。現実にはそこまでいかない人が圧倒的に多いわけだし」

「……そうですね」

珊瑚は、けれど、ゆくゆくはそういう人にも食事を提供したいと思っていた。そうでなくてはせっかくこの仕事を選んだ意味がない、と、そこまでは珊瑚の中で明確に言葉になっていたわけではなかったが、このとき、それがひそかな目標の一つとなった。

「で、お総菜の中から自由に三品選んでもらって、パンかライスか付けたのは、千円」

「ふんふん」

「けれど、みんながみんな、ランチを食べてくれるわけではなくて、コーヒー一杯で何時間も過ごす人もいる。私はむしろ、そういう人がゆっくりできる場所をつくりたいぐらいだったし。この辺、ちょっと葛藤があります」

「うーん」

「そこで、テイクアウトの総菜、のことも計算に入れます」

「そうそう、それがありましたね」

くららの声が少し明るくなった。珊瑚は続ける。このところずっと取り憑《つ》かれたように考えてきたことだから、いくらでも滔々《とうとう》と話せる。

「総菜とカフェで半々の売り上げをまかなう、としたら、カフェは、一日十五人でいいわけです。まあ、みながみな、七百円ランチを頼んでくれた場合ですけど。ランチを注文する人を最低十五人、と目標をつくれば、客席の椅子の数も自然に出てきました」

「いくつ？」

「十五、です。つまり、オープンからクローズドまでいてもらってもかまわない、っていう数字です」

「まあ」

「実際はそんな入り浸る人はいないでしょうけど。だからもちろん、コーヒーだけの人も、入ってもらう余裕が出てくるというものです」

「けれど、そのくらい客を受け容《い》れる気持ちがあるってことは、店の運営指針の重要な部分になるでしょうね。で、開店、閉店は何時にするんですか」

「それなんです……」

珊瑚はため息をつく。こればかりは何度考えてもいい解決策が見つからない。

「少なくとも十一時半には店を開けたいんです。ちゃんとお昼にランチが食べられるように。でも、夜遅くくたくたになって帰ってきた人にもお総菜を買ってもらいたい、ってことを考えると……」

「それは深夜に及ぶわねえ」

くららも考え込んだ。

「でも、計画書には、なんとか書き込まなくてはいけませんから、一応九時にしておきました」

そう言って、珊瑚はすまなそうにくららを見る。くららは、

「だいじょうぶです。雪ちゃんはいい子だし、いっしょにいるのは楽しいわ。ただ、私だけこんなに楽しんでは、申し訳ないとも思うけれど。雪ちゃんを連れて散歩に行くし、そのうち、客の少ない時間帯とかが分かってきたら、珊瑚さんもちょっと雪ちゃんの相手ができるようになるでしょう」

「そうしていただけますか。ほんとうに、すみません」

くららは笑って鷹揚《おうよう》に肯《うなず》いた。今のところ、二人の間では、仕事が軌道に乗るまでは月二万円、軌道に乗り、利益が見込めるようになったら三万円ということで保育料を設定していた。預ける時間の時間の長さを考えたら、破格だということは分かっていた。

「総菜は、一パック三百円均一にして、大体百グラム、コストがかかるものはグラム数を減らす、というふうにしようと思っています。一パック三百円のお総菜で一日一万円を稼ぎ出すには、三十三パック売り上げなければならない」

「まさか、おかずは一種類ではないでしょう」

くららが悲しそうに念を押す。

「もちろんです。千円ランチの方にも回さないといけないし。もし、一種類千百グラムつくったとしたら、それで十一パックになる。それだと三種類あれば三十三パックになる。千円ランチに回す分を考えなければ、三種類で十分です。でも、実際につくったものが全部売り切れるとは思えないし……」

「それに、いろんな種類があって、どれにしようか選べるのが楽しいに決まっていますね。ねえ、十種類は絶対あった方がいいですよ、少なくとも。それだと、もしも全部売り切れたら三万三千円？」

「そんなにうまくはいかないでしょうけど、そのくらいのつもりで最初は始めた方がいいかも。ほとんど売れ残るつもりで。原価が許せば」

「創業計画書にはその辺をどう書いたんですか」

「やっぱり、ランチの売り上げと総菜の売り上げを、五十パーセントずつ。ランチの売り上げは、七百円を四十パーセント、千円の方を六十パーセントにしました。でも、やってみないと分からないですねえ、こればっかりは」

「そうねえ。でも、担当アドバイザーの人は、それでいいとおっしゃったわけでしょう」

「いいというか……。黙認、という感じでしょうか。保護樹林へもいっしょに見に行ったんですけど、ここで客が来るのかなあ、みたいなことは言われました」

「なんて答えたんですか」

「むしろ、こういう緑いっぱいの空間って、貴重じゃないでしょうか、森林浴もできて、きっと、気持ちよかった、また来たい、っていう人多いと思いますよ、って」

「私もそう思います」

くららはにっこり笑って頷《うなず》いたが、珊瑚は、でも、と沈んだ顔で、

「それ言ったときに、自分で、何か、いやあな感じがしたんです」

「向こうの反応が悪かったの」

「いえ……」

珊瑚は言葉を探している風だった。ようやく、

「こういう、木々みたいなものを、私は大事に思うし——台所の窓から見える木々が、あそこを借りる決め手になったほどなんですから——好きなんですが、そういうものを、何か、お金に換算するように扱ってしまったってことが……」

くららは黙って聞いている。

「極端に言えば、裏切ったみたいな……」

「木々を？　自分を？」

「両方でしょうか。つくづくめんどくさい人間ですね、私。お金を稼ぐってことはやましいことではないって頭では分かってるのに」

くららは微笑んで、

「お金を稼ぐってことが、目的の全てになっていたら、今の珊瑚さんの『いやあな感じ』は出てこなかったでしょう。そういうことって、簡単に主目的にすり替わってしまうから、今の気持ちは大事だと思いますよ」

「自分の生き方と、経済を、もっとはっきり言えば、金勘定を、どう折り合わせていくか、ってことがぎくしゃくしてるんです。そのうち、はっきりした指針みたいなものができて、割り切って考えられるようになれば楽なんでしょうけど。雪のこれからのことを考えると、焦りも確かにあるので……」

突然雪が二人に向かって、

「だあ」

と叫んだ。見ろ、と言っているようだ。見るといつのまにかおかゆの碗《わん》が空っぽになっていた。雪は、見たか、という表情になった。

「すごい、雪」

「やった、雪ちゃん」

二人に褒めそやされ、おかゆだらけの手と顔で、雪は嬉《うれ》しそうに、だあ、だあ、と連呼した。

一週間ほどして、珊瑚宛てに大きな茶封筒が送られてきた。融資決定の通知と、借用証書だった。珊瑚は大学の入学試験を受けたことはなかったが、受験生が憧《あこが》れの大学の合格通知を受け取ったときというのはこういう気持ちではないかと思うほど、うれしかった。計画は立てたものの、今まで半分夢物語のように感じられていたものが、これでいよいよ現実の話としてスタートを切ったのだった。すぐにくららに電話した。

「よかった、よかった」

「自己資金も担保も経験も、なにもかもないないづくしだったので、あきらめかけていたんです」

「セールスポイントとして書いた、あの七百円ランチのコンセプトが良かったのではないかしらねえ。食餌《しょくじ》療法をしている人もアトピーの人もオーケーというのが、目新しかったのでは……」

「かもしれません。林の中のカフェ、というのも、案外」

「とにかく、ほっとしました」

くららの声も上ずっていた。そして、早く立花に連絡して、正式に家を借りる契約手続きをするように、と勧めた。もちろん珊瑚もそのつもりだった。最終的に借入金が珊瑚の口座に振り込まれるためには、送られてきた借用証書にサインし、印鑑証明等を添えて送り返さなければならない。珊瑚は印鑑登録をしていなかったので、明日はまず区役所に行ってその手続きだ。

借入金のことが決まったので貸家の改装にも着手できる。「たぬきばやし」も、今月末でおしまいである。「たぬきばやし」の仕事が最終的に終わってから、貸家で営業が出来るまでの間、準備の合間を縫って外村の「カルテット」で研修させてもらうことにしていた。

「だから、すみませんが、午後のお客の少ない時間帯に、ちょっと区役所へ行ってきていいですか」

朝一番に珊瑚が事の顚末《てんまつ》を告げると、雅美の顔がパッと笑顔になった。

「いよいよね」

「ええ、そうなんです。なんだかどきどきして、昨日はあまり眠れませんでした」

「いいわねえ。若くて夢があって」

雅美はまぶしそうに珊瑚を見つめた。

「ニュージーランドも楽しみじゃないですか」

「そうねえ」

雅美も、ここを引き払って、新天地を目指す準備で忙しそうだった。新しい未来へ向かって船出というのなら同じである。けれど、あまり浮き浮きした感じはなかった。

「パンも焼くんでしょ」

「ええ、そのつもりなんですが……」

「大きいほうのは場所をとるから、小さいほうのオーブンも、もっていったらいいわ」

すでに什器《じゅうき》の目ぼしいものは珊瑚が貰《もら》う手筈《てはず》にしていた。小さいほう、といっても、言ってみればパン屋の窯である。場所をとるのは同じで、珊瑚は少し躊躇《ためら》った。

「ありがとうございます。ちょっと厨房《ちゅうぼう》がどのくらいの広さになるのか、計算してみます」

「わかったわ。いつでも言ってね」

遅れて入ってきた由岐にもニュースを知らせる。

「いよいよですね」

雅美と同じことを言いながら、由岐の目も輝いている。

「じゃあ、大学の壁塗りサークルに、なるべく早く現場の下見に来るように言っておきます。それから、山下さんにも」

「山下さん」というのは、由岐に紹介してもらった彼女の大学の先輩に当たる建築士で、先日改装の相談に乗ってもらい、見積もりの目星をつけてもらった。計画書の必要資金欄にはその金額を入れ、それらしい体裁をつくることができたのだから、予算の調達がうまくいったということだけでも、伝えておかねばならなかった。

「出来るだけ早く、知り合いの業者さんにお願いしてくれるよう、頼んでおきます」

どんどん事が動いていく。

「お願いします」

借入金が実際に口座に振り込まれる前に、業者がやってきて工事が始まることになった。借りられるのは確かなのだし、支払いは工事が終わってからだから、それでかまわない、と山下が言ってきたのだった。

その初日、彼らに挨拶《あいさつ》しておこうと、珊瑚は雪を連れ、予定の時間より早めに保護樹林へ行った。早めに来たのは、ここでくららと落ち合い、改装計画の内容を実際に現場でくららにも説明するためだった。

三人で家の周囲を歩いているとき、裏庭の片隅に、珊瑚の肩の高さほどもある、木立性のローズマリーを見つけた。そのときのくららの興奮ぶりは、珊瑚をちょっとびっくりさせたほどだった。

それは台所の裏手にある、ちょっとした空き地だと珊瑚が思っていた場所で、イノコヅチやギョウギシバなどが生い茂っている、つまり雑草地になっているところだった。台所の窓から見える三本の木との間にあり、ちょうど死角になっていたのだった。

「立派なローズマリー」

くららはローズマリーに抱きつかんばかりだ。

「立花さんのお母さんが、植えていたのね。ほら、よく見るとクリーピング・タイムもある」

くららは足元を掻《か》きわけた。

「クリーピング・タイム？」

「這《は》って増えるタイプのタイムです。ヨーロッパの野原によく自生している。栽培されているものの中でも野生種に近い」

くららは子どものように目を輝かせて、

「修道院の薬草園みたいなキッチン・ガーデンを、ここにつくりませんか」

「キッチン・ガーデン」

修道院の薬草園、というのも珊瑚には初めて聞く言葉だったし、だからそれがどういうものなのか、皆目見当もつかなかった。「修道院」「薬草園」「キッチン」「ガーデン」という四つの言葉がただ独立して聞こえた。

「修道院の壁の内側に、こう、花壇が、縦横に、いくつも枡目《ますめ》があるみたいにあって、その一つに一種類ずつ薬草が——今で言うところのハーブね——植えられているんです。濃い、薄い、いろんな色調のグリーンが並んでいるところはきれいなものよ」

「薬草と、ハーブって、同じものなんですか」

薬草、と言えば、漢方薬の苦い煎《せん》じ薬になるような草木を思い浮かべるし、ハーブと言えば、タイムやミントを連想する。そして、漢方薬とミントは結び付かなかった。けれどくららは、

「同じです」

と、はっきり言い切った。

「ハーブはそもそも、修道院内で治療の必要があるとき、また近隣の住人達を治療するときのために、薬効を研究されて育てられていたんです。それが食品の保存のためとか臭いをとるためとかにも使われていった。それでどんどん料理も発展していった」

「……はあ」

くららさんはどうやら本気だ、と珊瑚は思った。いつにもまして声に熱がある。

「けれど、くららさん、私、店のことで忙しくて、植物の世話まではしてられませんよ。それに、料理に使う分を植えるのだとしたら、毎日使うわけだから、相当の量、用意しなければ……。買った方がよくありませんか」

「植物の世話は私と雪ちゃんでなんとかします」

「雪と……」

自分の名前が呼ばれたと分かるのか、偶然なのか、そのときバギーでうつらうつらしていた雪が、いきなり上半身を起こして珊瑚たちの方を見上げた。

「ほら、雪ちゃんもその気よ」

くららは相好を崩す。はいはいと、腕を伸ばした雪を、バギーカーから抱き上げようとしゃがむ。

「植物というものは生長するものだし、ハーブなんてほんの少しあるだけでだいぶ違いますから。万が一大量に要ることになったらそのときにまた考えて」

「わかりました」

「土作りから本格的にして、営業する頃には立派な薬草園になるようにしましょう」

ね、とくららは抱っこした雪に話しかける。雪はふふっと笑って返す。

「あ、笑った笑った」

「この笑顔の、かわいいこと。天下一品。ね」

「由岐さんたら、雪のこと、いつもぶすっとしてるって思ってるみたいです。そんなことないって思うんですけど」

「そんなことないですよ」

くららはむっとしたように眉《まゆ》を上げて真顔で言った。


くららほどではないにしろ、珊瑚自身もローズマリーの香りは好きだった。このハーブが鳥料理を始めとする多種多様な料理のレシピに出てくることも知っていた。だからローズマリーが敷地内に生えていてくれたことはうれしかったし、くららが言うように、それと並んで料理に使えるハーブがすぐ手に入る場所にあることは歓迎すべきことだった。

くららはまた、珊瑚と違い、依存することについて、おおらかな考えを持っているようだった。言うところの「薬草園」はどうやら貴行や時生に頼んで、つくってもらうつもりらしかった。

「ハーブなんか、言えばいくらでも持ってくるのに」

貴行がわざと気を悪くしたような顔をつくった。

「お金取るくせに」

くららもわざと責めるような口調で言った。

「それはそれ、これはこれ」

貴行はくららの指示通り枡形に花壇をつくろうと、どこからか調達してきた古煉瓦《ふるれんが》を積み上げていた。その前に、その土台になる土を耕し、腐葉土や石灰を鋤《す》き込んでいる。

「ハーブなんて元々野草なんだから、こんなに手厚くすることもないんじゃないかな」

小さな声でぶつぶつと呟《つぶや》いた。くららは、

「どんどん使うのだから、いい土で気持ちよくどんどん再生してもらわないと。一つの枡目に一種類。これは薬草園の鉄則。すぐに自分たちで交配してしまわないようにね」

「でも、今頃つくったって、ハーブはほとんど地上では枯れてる状態だし」

「あなたがたも、今なら少し暇でしょ。ハーブが元気な頃って、他の野菜も元気で、あなた方も忙しい頃じゃない」

「本当にすみません」

壁塗りサークルにお茶を出してきた珊瑚が、貴行にあやまる。くららは、

「珊瑚さんが謝ることはありませんよ」

「そうそう」

離れたところで雪と遊んでいた時生が相槌《あいづち》を打つ。

「まあ、いいさ。どうせお得意様になるお店なんだから。サービスしたって罰は当たらない」

貴行は自分自身に言い聞かせるようにそう言って頷《うなず》いた。

借用証書などの書類を郵送したその一週間後、四百万はきちんと珊瑚の口座に振り込まれた。そんなたくさんのゼロのついた数字が自分の通帳についていることに、最初はまったく実感が湧かず、ずいぶん長いことその数字を見つめたものだった。

懸案だった床の高さは、結局一階をほとんどすべてグラウンドレベル近くに下げることにして、借入資金のほぼ三分の一を、床をはがし、配管をやり直してもらうことに使った。あとは壁塗りサークルが、壁のみならず床まで受け持ってくれ、古材を打ちつけていった。珊瑚も時間の許す限りそれをやった。腰が痛くなり、しかも床は均一にはならず、あちこち飛び出して、うっかりすると躓《つまず》いてしまいそうだったが、味があると言えばそう言えた。壁塗りサークルは、ほとんど材料費のみで仕事をしてくれる、ありがたいサークルだったが、如何《いかん》せんただひたすら土壁を塗りたいだけの、建築にはほとんど素人の集まりで、床は本来彼らの専門外だった。しかも、賃金を払っていないので、いつまでにやってくれということが言えなかった。彼らの都合のいいときに来てもらっているので、仕事はなかなかはかどらない。今日来ているのは三名である。とりあえず台所の床は最初にやってもらったので、台所は使えるようになっている。新しい流しもガス台も入れた。「たぬきばやし」のオーブンも、結局もらうことになった。

「この調子だと、いつになったら開店にこぎつけることやら」

くららが小さな声で言った。

「僕もちょっと手伝ってきましょう。くららさん、雪ちゃんお願いします」

そう言うと、時生は雪をくららに渡し、さっさと入っていった。

「あら」

くららは気遣わしげに、

「何か、悪かったかしら」

「ときはさっきから手伝いたかったんだ、気にすることないよ。あいつ、ああいうこと好きなんだ。うずうずしてるのが分かったよ」

「そういえばそう。うちの棚も直してくれたことがあったし」

家の中から、新しい金槌の音が、リズミカルに響いてきた。皆、それを聞いて目を合わせ、笑った。

「『たぬきばやし』の御夫婦は、もう、ニュージーランドへ行かれたんですか」

「いえ、お店はもう閉店したんですが、まだいろいろ後始末が大変みたいで。什器《じゅうき》やらまた取りに行かないといけないんですが、由岐さんが、小さなバンを一台借りようって。

でも、それでもオープンは素人じゃ大変だから、業者に頼もうかと思っています」

「それ、ときの前で言わないでくれる」

貴行が困った顔をした。その理由を、珊瑚は何となく察し、

「分かりました」

と、うなずく。珊瑚だって出来るだけ自分の力でやりたいのだ。

「メニューは大体決まったの？」

「はい。でも、一度、この間教えてもらった農家の佐々さんのところへ行ってから、もっと具体的に、と思っています」

「あ、それはいいね」

「貴行さんとこがだめになっても、いつも気力あふれる野菜を提供できるように。でも、七百円のシンプルランチはそれでいいとして、総菜のメニューは、旬の野菜を使ったものと定番のものと決めようと思ってるんです。近々、一度つくってみようと思ってるので貴行さんたちも食べに来てください」

「ぜひ。あー」

貴行が急に大声を上げたので、慌てて彼の視線の先を見ると、くららの手から離れて、雪が一人で立ち上がったところだった。貴行が大声を出したのに驚いて硬直してしまっている。

「今までも、つかまり立ちは出来ていたのよ」

くららが得意げに言う。

「でも、こんなに長いこと一人で立ってるっていうのはなかったわ」

珊瑚は感動している。

雪が、一人で地面に立ったのだ。

11

開店に向け、「カルテット」での「研修」の合間を縫って、珊瑚はリサイクルショップや古道具屋を小まめに見て歩いた。一つ一つバラバラに買っても、「カルテット」にあるような、それぞれ個性があってそれでいて統一感のあるようなものになればいいと思っていた。テーブルの天板はウレタン塗装されていないこと、椅子は木製で、傷、シミはOK。安ければ安いに越したことはないが、安ければいいというものでもない。すぐに見つかるような気がしたが、探してみるとこれがなかなか出会えない。手頃な椅子やテーブルが出てきたら知らせてほしいと、これはと思う店には自分の連絡先も教えた。

もっとも、こうやって「見て歩く」余裕ができたのは「研修」が始まって一週間ほどしてからだった。パン屋で客あしらいもしていたのだから、「カフェ」だって同じようなものだろうとタカを括《くく》っていたところが確かにあった。最初の日の、珊瑚の疲れ具合といったらなかった。客を迎え入れ、注文をとり、カウンターに伝え、場合によっては自分もカウンターに立つ。それからレジ。レジ打ちはパン屋でも経験していたが、飲食店のそれはまた違うものだった。コーヒーの淹《い》れ方だって、まだまだ外村には遠く及ばない。同じ豆でも、淹れるたび味が変わる。珊瑚がそれを嘆くと、

「俺だって未《いま》だにそうだよ」

外村が珍しく謙虚にそう漏らした。

「集中して、心を込めて淹れる。結局これに尽きるね」

珊瑚だって、そうしているつもりなのだった。だがうまくいかない。ネルドリップは自分には合わないのかとさえ思う。自分がやろうとしているのは総菜カフェなのであって、「カルテット」のようなコーヒー専門店ではないのだから、もっとほかのやり方を試してみてもいいのではないか、と思ったが、やはりネルドリップで淹れた外村のコーヒーを飲むと、これでいこうという気になる。

その日は、珊瑚が初めて客に出すコーヒーを淹れた日だった。前日、珊瑚が淹れたコーヒーを一口飲んで、外村が、「明日、出してみる?」と言ったのだった。その晩は緊張してなかなか眠れなかった。客に見破られたらどうしよう(悪いことをしているわけではないが)。これ、いつものと違う、と大声で文句を言われる場面が幾度となく心に

浮かび、胃が痛くなった。

が、当日、怖れていたことは起こらず、珊瑚が淹れたコーヒーも、「おかわり」こそなかったものの、別段違和感なく受け入れられているようだった。ただ、何人かの常連の分だけは、外村が自分で淹れた。とりあえずほっとしたが、その日はそれだけでは済まなかった。午後、珊瑚がちらりと時計を見て、四時だ、と何気なく思ったときだった。ドアが開いて、一人の客が入ってきた。いらっしゃいませ、と声をかけようとして、珊瑚の動きが止まった。別れた「夫」の、泰司だった。泰司の方は、じっと珊瑚を見つめていたが、驚いた風はなかった。最初から、知っていて入ってきたようだった。

「いらっしゃいませ」

珊瑚は、まるで芝居のようだ、と思いながらそう声をかけた。トレイに水の入ったコップを用意し、泰司の座ったテーブルに運んだ。泰司はメニューを見ている。

「ご注文は」

声がかすれないように、気をつけて言った。泰司は珊瑚の知らない服を着ていた。けれど馴染《なじ》んだ体温が、その服を通して珊瑚に何かを訴えかけているようだった。そんなものは知らない、と珊瑚は逃げ出してしまいたかった。

「コーヒー」

と、泰司は言った。何でまた、と思いながら、珊瑚は厨房《ちゅうぼう》へ行き、コーヒーを淹れる準備をする。客の少ない時間帯で、外村は事務仕事を、他のスタッフもそれぞれ夜の分の準備をしていた。状況的に珊瑚が淹れる場面だった。テーブル席から、泰司が見ている。珊瑚はその視線を意識した。が、外村に言われた通り「心を込め、集中して」淹れた。ここでそれをしなかったら、これからの自分の仕事は全部いい加減なものになっていきそうな気がした。結婚していたとき、自分はこれほど「心を込めて」彼にコーヒーを淹れたことがあっただろうか。

何とも言えない、強いて言えば砂を噛《か》むような思いでコーヒーを運ぶ。泰司はテーブルに置かれたそれを、しばらく見ていたがやがて口をつける。きっと、同じようなことを考えているに違いない。

もう一組いた客が、帰る気配を見せたので、珊瑚もレジへ行き、会計をする。彼らが出ていくと、客は泰司だけになった。他のスタッフは奥にいる。

「どうしてここが」

小さな声で珊瑚から声をかけた。

「那美に聞いた。今日、アパートへ行ったら、彼女が出かけるところで」

那美め、と心の中で呟《つぶや》く。まあ、那美はずっと泰司に同情していたから、と一瞬の怒りをなだめる。

「どうしてるかと思って」

と言ってしばらく口ごもり、

「雪は元気？」

「概《おおむ》ね」

「概ね、かあ。久しぶりに珊瑚に会っている気がするよ」

　泰司が今回初めて笑顔を見せた。懐かしいと思う気持ちと、もうたくさんだ、と拒絶する気持ちが一度に起こる。

「カフェ、つくるんだってね」

　那美め、と再び呟く。泰司の問いには答えず、

「元気なの？」

「まあまあ。今、伯父《おじ》の事務所で働かせてもらってる」

　そういえば、泰司には輸入食品を取り扱う会社を経営している伯父がいると聞いていた。いよいよきちんと働く気になったのだろうか。

「近くまで来たものだから」

「そう」

　雪に会いたいのだろうか。結婚していたときはそれほど関心があるようにも見えなかったが。こういう場合、一人で子どもを育てている方としては、虫が良過ぎる、と思うのだろうが、珊瑚にはあまりそういう気持ちは起こらなかった。実の父親に会いたいと思ってもらえない子どもは不憫《ふびん》だ、という思いがあったからだろう。雪のためにはその方がいい。

「どこかに預けてるんだって？」

さすがに那美は、くららのことまでは言わなかったらしい。

「うん、まあね」

「ちゃんとしたとこ？」

むっとする。そんなことを要求できる立場か、と思う。私がどれほどこのことで——雪の預け先のことで——悩んできたか、知らないくせに。

「そんなこと言われたくない」

短くそう言うと、

「用事はそれだけ？」

と、たたみかけた。

「いや」

泰司は少し言い淀《よど》んだ。

「結婚してたことがばれちゃって」

「え？」

「ほら、親戚《しんせき》のところだと言っても、一応就職は就職だから、戸籍謄本とか、提出しなくちゃいけなくて、それで……」

「……ああ」

それは、一悶着《ひともんちゃく》あったことだろう、と絶句する。

「怒られた？」

「まあね。そういう言い方をするならそうだね」

子どものいたずらがばれた、というレベルの話のようで、珊瑚はおかしくもあり、情けなくもあった。泰司はそういうことをどう思っているのだろう。まったく摑《つか》みどころがない男だ、と改めて思う。

「で、子どもがいることまで分かって――戸籍だからね――彼らにとっては孫なわけだから、それはやっぱり、一目会いたい、って言ってるんだ」

ああ、それでか、と腑《ふ》に落ちた。

付き合って初めて、相手の人格レベルは分かってくる。様々な場面の相手の喜怒哀楽に付き合ううち、興ざめもし、愛《いと》しくも思う。途中でこの相手は違う、と気づいたにしてもそれが生活の中に組み込まれてしまった中の「気づき」だと、容易にそこから脱出できない。なんだ、これは、と思うような反応が、次から次へ、相手から出てきたとしても。結婚とはそういうものかもしれない、と珊瑚は思ったし、それで強いて別れようとまでは思わなかった。そこまで思い詰めるほどの時間もなかった。あっという間の離婚だったから。そもそも泰司から言い出したのだ。けれど、珊瑚の方もそれを食い止めるため、何の努力も払わなかったのだから、あまりそのことは責められない。

「で？」

「だから、一度雪を連れて行っていいかな、実家に」

「ちょっと、待って」

珊瑚は慌てた。

「それは無茶よ」

「だって、もう首も据わってるんだろう」

ほら、雪に関しての知識は、まだそのレベルじゃないか、と言いたいが、客が入ってきた。

「いらっしゃいませ」

泰司との間を切るようにして客の方へ声をかける。その後はつとめて泰司の方は見ないようにした。だがもうすぐ五時になる。研修の間は五時には店を出ることになっている。それからくららの家へ向かい、そこで新しい店で出すメニューを試作する。由岐もやってくる。泰司はどうするのだろう。付いて来るつもりだろうか。それは困る。

考えているうちに、泰司は立ち上がり、レジに向かった。珊瑚はほっとして、会計をした。泰司が近くに立つ。変な感じだ。

「今日は忙しそうだから、また連絡するから」

珊瑚はその言葉を無視し、

「ありがとうございました」

「コーヒー」

泰司は、そうそう、というように、

「おいしかった」

と言って、笑顔をつくった。

「ありがとうございました」

珊瑚は頭を下げる。

「びっくりしました、本当に。いきなり雪を自分の実家に連れて行きたい、なんて言い出すんだから」

珊瑚は、くららと由岐に、泰司の話をした。黙っていようかとも思ったが、雪を連れて行く、行かない、となったら、当然そのことをくららに話さなければならない。おお、とくららも由岐も、いきなりの展開に驚いた。

「そうか、そういう人がいたんだ、珊瑚さんの元連れ合いにして、雪ちゃんのパパ。忘れてた」

「私だって、たいがい忘れてたよ」

「でもまあ、孫に会いたいっていうご両親の気持ちも分かりますね」

と、くららが中立の立場をとろうとすると、由岐は、

「甘いですよ、くららさん。そのまま向こうが雪ちゃんを返さなかったらどうするんですか」

この言葉に即座に声を上げたのは、くららではなく珊瑚だった。

「あ、それは考えなかった」

「珊瑚さん、甘い。大体、元連れ合いに連れ去られて帰ってこない子ども、って、離婚夫婦にしょっちゅうあることじゃない」

由岐は、片手でぬいぐるみのように雪を引き寄せ、膝《ひざ》の上に乗せる。雪もだいぶ由岐に慣れてきて、じたばたはしているが、さして嫌そうではない。

「そうか。元連れ合いがあまり子どもに執着がなかったからほとんど考えてみなかった、そんなこと」

「でも、結婚する気になったんだから、それなりの愛情はあったわけでしょう、初期は」

「初期は」

由岐の言葉を繰り返し、笑った。由岐は、

「男の人は別れた女性も愛し続けていられるらしいけど、私は絶対に無理。別れた男なんて顔も見たくない。考えただけでむかむか腹が立ってくる」

それがちょっとした剣幕だったので、くららは噴き出しながら、

「おやおや。由岐さんは、つらい恋をしたんですか」

「つらいというか……。最初はいいんですけど、だんだん興ざめしてきて、終《しま》いにはばかばかしくなって、お互い一緒にいてもつまらなくなってきているのが分かって、他の友人といる方が多くなって、いつの間にか疎遠になって事実上別れてる状況になってる、っていうパターンが多いですね」

「ほう」

「くららさんは？」

由岐が当たり前のように訊《き》き返し、珊瑚は、私にはこんなに簡単にできない質問だ、と由岐の自然体にわざと驚いた表情を見せる。くららは、そうねえ、といつもと同じように受け、

「だんだん興ざめしてきて、というのは似てたかもしれませんね、由岐さんと」

「え」

「え」

「初恋の相手がイエス・キリストでは、その後、どんな恋をしたって、本物じゃないような気がするものなんです。違う、こんなものが本当の恋であるわけがないって……」

「くららさん、まさか……」

由岐が目を丸くして次の言葉を呑《の》み込んだ。珊瑚も、以前貴行から「くらら」という名の由来は聖フランシスコの女弟子、クララからきている、と聞かされたことを思い出した。この人はほんとうにそういう人生の人なのか、と、まじまじとくららを見つめた。

「でも、くららさん、結婚しましたよね」

「ええ。でも、ミッションみたいに思って結婚すると、そのうち相手もだんだん気が滅《め》入《い》ってくるものなのよ。そう長くは続きませんでしたね」

「ミッションって……」

「若い頃は、なんか、恋愛とかに費やす時間がもったいないって思えたんです。もっとじっくり、いろんなことを考えたり本を読んだりしたかった。結婚してしまえば、そういうことに煩わされなくなる、って思って、そのとき一番私を必要としていそうな人と結婚したわけです。一人の人間だけでも何とか救うことができるんじゃないかって。実に不埒《ふらち》な考えでしたね。結婚したら結婚したで、恋愛に取られる時間以上の時間をまた取られて……」

「そりゃそうでしょう。私にだって、そのくらい分かりますよ」

由岐がつくづく呆《あき》れた、という声を出す。くららは急に不安そうに、

「あら、そうお？」

珊瑚は思わず噴き出す。くららherらしい、とほっとした。

「珊瑚さんは、どうだったの」

「私はなんか、いつのまにかいっしょにいて。結局寂しかったのかな、と思います」

「今は、雪ちゃんがいるから寂しくない？」

「うーん。寂しくない部分と、一人のときよりもっと寂しい部分とあります。寂しさが浮き彫りになるというか」

くららは黙って微笑む。

三人は、ホウレンソウの下葉の処理をしながらしゃべっている。貴行たちの農場で採

れた今季最後のホウレンソウで、畑を次の作物のためにきれいにしておかなければならないとかいうことで、「採っただけ」の状態のまま大量にやってきた。『雪と珊瑚』は春に開店の予定だから、この野菜をすぐにどうということはないのだが、くららは冷凍しておける、と言う。

「それは貴行は旬のものを旬のときに、と言うに決まってますが、何が起きるか分からないじゃないの。急に野菜が不作になるとか」

冷凍庫も、冷蔵庫とは別に発注してある。それが来るまでは、くららのところで保管しておいてくれる、と言う。

洗ったホウレンソウを大鍋《おおなべ》に入れて茹《ゆ》でる。茹で上げたら一旦《いったん》冷水に通し、軽く絞る。端から微塵《みじん》切りにしていく。微塵切りになった、と思ったら更に包丁を入れていく。

「こりゃもう、微塵、っていうより、どろどろって感じですね」

「大抵、この状態から料理が展開します。フライパンにオイルをちょっと入れてソテーする、それが一番シンプルな、ホウレンソウのソテー。サイドディッシュによく出てくる。それからそれに生クリームを入れて、ホウレンソウの生クリーム煮、ホウレンソウのポタージュ、キッシュ、いろいろ。どろどろだから、冷凍してもほとんど素材の風味は壊れないの」

「離乳食にもいいんじゃないですか」

くららはにっと笑って、

「雪ちゃんは大好きですよ」

「あ、もう、食べてんだ、ゆーきー」

そう言って、由岐はすでに微塵切りになったホウレンソウを指でつまみ、雪の目の前に持っていく。雪は反射的に口を開ける。由岐がホウレンソウを押し込む。

「あ、まだ味付けもしてないのに」

「でも、おいしそうに食べてるよ」

雪はごっくんと呑み込み、再び、口を開ける。

「あ、催促してる」

「ツバメみたい」

あまりの無心さに、皆で笑い転げる。すると雪はきっと口を引き結び、いかにも不愉快そうな顔をした。

「あ、怒ってる」

「笑われたから、傷ついたんだよ」

皆、互いに目と目で頷《うなず》き合う。こんなに小さいのに、嗤《わら》われた、という感情が起こるのだ。

「そうか、ごめん、雪。でも、雪がかわいかったからなんだよ」

「そう、かわいかったんですよ。でも、悪かったわ、ごめんなさいね、雪ちゃん」

くららが雪の前にしゃがみこみ、頭を下げる。

「もっと、おいしいのつくってあげるから、堪忍ね、雪ちゃん」

雪は口をへの字に結んだまま、鼻の孔《あな》をふくらませ、小さくしゃくり上げる。皆、反省して、しゅんとする。まったく、この妙なプライドの高さは自分にそっくりではないか、まるでカリカチュアのようだ、と珊瑚は心中密《ひそ》かに感嘆の思いで苦笑する。それから同情する、これから先の彼女の人生の大変さに。

「もう、いいですから、しばらく構わずに仕事を続けましょう」

珊瑚はそう言ってホウレンソウに戻った。放っておいて、自分で自分の始末をつけるしかないのだ、こういうときは。雪もそういうときの自分の気持ちの切り替えを早く学ばないといけない。

「雪、もうちょっとだからね」

由岐もそう声をかけ、くららもまた微笑んで頷いてみせ、皆、またホウレンソウに戻る。次から次へ茹で上げ、冷水に取り、軽く絞り、微塵切りにする。嵩《かさ》としては十分の一以下になるのではないか、とボウルに入れた全体量を見ながら思った。それをキッチンラップを敷いたトレイに厚さ一センチほどに敷き、その上にまたキッチンラップを重ねて同じことを繰り返す。緑のミルフィーユのようにし、最後に冷凍して、小分けにしたホウレンソウのシートをつくるわけだ。

「今日食べる分は、こっちに置いておいて」

くららはホウレンソウの残りを横に片づけ、冷蔵庫から卵をケースごと取り出し、

「スパニッシュオムレツと、ニンジンとクレソンのサラダをつくりましょう」
おお、と珊瑚と由岐が声を上げる。
「メニューの最初は、まずは彩りのいい卵料理とニンジンがたっぷりのサラダ、ってい
う珊瑚さんのリクエストだったから。じゃ、そのジャガイモの皮を剝《む》いてください。タ
マネギも薄切り。ドライトマトはぬるま湯で少し戻す。グリーンアスパラは……」
「ちょっと待ってください、メモとりますから」
珊瑚は慌ててノートを取り出す。準備ができたのを見て、くららは、
「じゃ、最初から、材料を言います。このくらいのフライパンだと、六人分、かな。卵
六個。ジャガイモは大きいのなら一個、中くらいなら一個半、小さいのなら二個。グリ
ーンアスパラは……」
「ちょっと待ってください。小さいのなら二個、と」
「グリーンアスパラは、半束くらい。タマネギ一個、ドライトマトは六個。ジャガイモ
は、グリーンアスパラの太さの半分くらいに拍子切り。グリーンアスパラが太かったら
その四分の一くらい。で、両方とも茹でて水を切っておく」
珊瑚がメモをとっている横で、由岐はジャガイモの皮を剝いていく。
「タマネギは薄切りにして、水分を飛ばすようにしてちょっと炒《いた》めておく。ボウルに卵
を割りほぐして、今言った材料を入れて塩、胡椒《こしょう》」
「ドライトマトは？」

「ドライトマトは、そうですね、フライパンに種を流し入れて、混ぜて半熟状にしたところで、しかるべき場所に、等間隔に置きましょう。ドライトマトの赤い切り口を見せたいんです。細かく切って入れ込む人もいるけど、そうすると色鮮やかでなくなる。切ったとき、アスパラガスの緑とその赤がきれいに映えるように、ちょうどそこを切るようにするのね。お総菜なんだから、栄養のバランスも考えて、でも、食べたい、って思ってもらえるように、見栄えも考えて、なによりおいしいことが第一」

「フライパン一つ分で六人分、として、最初何人分くらい用意しておいたらいいでしょう」

「とりあえず、十八人分くらい？」

「そうね、ショーケースにはいつもたっぷりあった方がいいでしょうしね。早朝、つくっておいて、午後に必要ならつくり足す」

ショーケースはすでに発注してあった。

「ほんとにいよいよ、って感じですね」

油を引いたフライパンに種を入れながら、由岐が言った。卵が焼けるいい匂いが漂い始めた。私にもさせて、と珊瑚が菜箸《さいばし》で中を混ぜる。

「じゃ、そろそろ、ドライトマト」

戻しておいたドライトマトを、車軸状に六等分した線上に埋めていく。三個は、上の方に少し覗《のぞ》くぐらいの浅さにしておく。

「じゃ、ちょっと蓋《ふた》をして」

音が少し静かになる。

「ニンジンはマッチ棒くらいの長さと太さに揃えて切ってください」

「このニンジン、ちょっと切っただけで、こんなにいい香りがする」

由岐が驚きの声を上げる。

「貴行さんとこのだから。でも、このクレソンも活《い》きがいい」

クレソンは深い緑が水を弾くようにして、一本一本上向きになっているようだった。

しばらくすると、

「じゃ、もう、オムレツはいいと思うから、蓋をとって、ちょっと底が剝《は》がれるのを確認してから、一、二の三、でひっくり返します」

「えー私は無理」

「私も」

「まあ、別にそんなことしなくてもいいんですけど。皿一枚洗う手間が省けるくらいのものだから。無理なら、平皿をフライパンの上に載せてひっくり返して、そうそう。そして、今度はそれを滑らすようにしてもう一度フライパンの中へ入れて反対側を焼く」

香ばしい焼き色が、フライパンの型通りに膨らんで付いている。

「じゃ、サラダのヴィネグレット・ソースにいきましょう。昔は、フレンチ・ドレッシングって言ったものだったけど」

「よく聞きます、それ」

「オイルを――オリーヴオイルでも、ナッツ系のオイルでも、欲しい風味によって何でもいいんだけど、風味が欲しくなかったらグレープシードオイルがいいですね――お酢の二倍から三倍入れて――お酢もまた、種類がいろいろあるけれど、今はプレーンな米酢を使いましょう――塩胡椒してかき混ぜるだけ。かき混ぜないで、クリアーな色のまま、和《あ》える人もいますけどね。総菜として出す場合は、味が均一になるように、かき混ぜた方がいいでしょうね、はい、泡立て器」

くららは、オイルとお酢を、ボウルに入れると、泡立て器を添えて、由岐に渡した。

珊瑚は熱心にメモをとっている。

「その、二倍から三倍って、どういう基準で決めるんですか」

その質問に答える前に、くららは、

「あ、もう火は止めましょう」

と、フライパンの火を消し、それから、改めて、というように珊瑚に向き直り、

「歯応《はごた》えがあったり、甘い素材の場合――ニンジンとか――には酢を多め。サラダ菜とかレタスとか、柔らかい素材だと、オイルを多め、って感じでしょうか。このサラダには、あと、干しプルーンを刻んだものか、レーズンを加えようと思うんですけど」

「私、ニンジンとクレソンだけがいいなあ」

由岐は困ったように言った。

「レーズンは苦手」

「プルーンは？」

「まだましかなあ」

「じゃあ、プルーンにしましょう。ニンジン、クレソン、プルーン。鉄分がいっぱい」

くららは歌うように言って、棚からプルーンをとってきた。


つくった「総菜」は、ホウレンソウのポタージュをプラスして、そのまま皆の夕餉《ゆうげ》になった。雪も、一人で積み木を重ねたりしているうちに、あの「事件」から少し気持ちが離れたようで、スパニッシュオムレツのジャガイモの部分をほじくり出しながら、熱心に食べている。

「ドライトマトの切り口がきれいに決まってますね」

由岐は、切り分けたのが自分であるのも満足だったのだろう。

「酸っぱいのが全体の味を引き締めて、いいんじゃないでしょうか」

「けれど、このニンジン。馬にやるくらいありますね。このくらいたっぷりあると、うれしい」

ニンジンは、切った後、一度塩をかけて軽く手で揉《も》んでいる。それだけで、驚くほど甘みが増していた。しんなりして、いくらでも食べられそうに思えた。由岐の言葉を聞いて、那美のことを思い出した。

「今のアパートの向かいの部屋に住んでる友達が、やっぱり、野菜がたっぷり食べたい、って言ってたんです。早く食べさせてあげたい。でも、私の元連れ合いに、『カルテット』のこととか、カフェ開くこと、しゃべっちゃったの、その子なんですよね」

「けど、話を聞いていたら、その『元連れ合い』ってそれほど凶暴そうでもないから、良かったんじゃない？」

「うん、まあ、雪の将来を考えると——良かったのかな」

　珊瑚はそう言いながら、ホウレンソウのポタージュを少し冷まして雪にやる。雪はそれがさっきのホウレンソウだと気づいているのかいないのか、おいしそうに飲んでいる。もしかして、気づいて思い出していても、めんどくさいからもういいや、と思っているのかもしれない。

「いつかは、向こうの御両親にも会わせないといけない時が来るかもしれませんね」

　くららは、真面目な顔で言った。珊瑚はだんだん、それもいいか、と思い始めている。たとえば突然自分に何か起こったとき、雪がたった一人でこの世に残されるより、親身になってくれる大人が一人でも多い方がいい、というのは珊瑚がいつも願っていることだった。

「まあ、そのときはそのときで考えることにします」

　そう言いながら、雪を見つめる。最近びっくりするほど、人間らしい感情を見せるようになった。泰司が今雪に会ったら、お互いどんな反応をするのだろうか。

「什器《じゅうき》や調理台は、手配が済んでいるのよね」

由岐が、一応確認するけど、という表情で、ニンジンを食べながら珊瑚に声をかける。

「そうだけど、客席の椅子やテーブルがまだなの」

木のぬくもりが伝わるような、素朴なものがいいのに、それがなかなかないのだ、とこぼすと、

「そうですね。私もマホガニーなんかよりオーク材の方が好きですね」

くららの悠長な言葉は、珊瑚の現実からは浮いている。珊瑚はマホガニーもオークも知らない。ただ、高そうな響きがする。

「材のことまではよく分からないんですけど、店の人たちは、飲食店で使うんだったら、ウレタン塗装してある方が絶対にいい、っていうんです」

「そんなこと、聞かなくてもいいですよ」

くららはにべもない。

12

保護樹林の入口のところに、桜の木があった。

珊瑚は最初、そのことに気づいていなかった。それが桜らしい存在感を放ってきたのは、三月も末のころだった。その頃には保護樹林のすっかり葉を落とした木々の、堅い冬芽もしだいにほころんできて、すべての木の枝先の周囲に、臙脂色《えんじいろ》の靄《もや》のような空気が漂っていた。桜の木も当初は同様だった。むしろ、鋼の冬芽のイメージが長く続いている木ですらあった。けれど、一旦《いったん》その「臙脂の薄雲」をまとったが最後、あっというまにそれは急速な変化を見せ始め、あちこちに小さな白いほころびができ、それは見る見る木全体に広がって、「三分咲き」「五分咲き」と道行く人々はささやいて行った。

『雪と珊瑚』の看板は、そういう桜の木の下に置かれた。その前を通る時間帯によって、木々の間から陽の射す角度が変わっている。看板にはオープンの日にちが貼られている。三月三十日。

それは雪の誕生日でもあった。初めての誕生日である。何もそんな日に、ばたばたと忙しいオープンの日を持ってくることはなかろうと、那美は反対したが、雪の一歳の誕生日の、これが最大のプレゼントでもあるのだ、と珊瑚は押し切った。雪がいなければ、こんな力は出なかった。

「雪は私が初めて自分ひとりで取り上げた子だから、その一歳の誕生日は、私にとっても記念すべき日なんだ」

那美は試食の総菜を食べながら、恨めしそうに繰り返した。

「できるだけのことをしてあげようと思っていたのに」

うん、と珊瑚も、

「一生忘れないよ、あの日のことは。前日まで暖かかったのに、急に曇ってきて、私、外見てる余裕もなかったけど、気づいたらいつのまにか雪が降り出してたんだ。本当にあのときはありがたかったよ」

しみじみと那美を見つめてうなずき、うなずきながら珊瑚は、

「だから、那美が何をしても大抵のことは許してあげる」

「え？　私が何をしたと」

「泰司に話したでしょ」

「あー」

那美は一瞬怯《おび》えたように体を退かせた。

「ごめん、珊瑚は嫌がるかもしれないと思ったけど、やっぱり、雪の父親だから、知る権利があると思ったんだよ」

「たぶん、そんなことだろうと思ったよ」

珊瑚はため息をついた。

「那美が自分で考えて判断してやったことなんだし、私も別に、泰司が来ても私のことは話すな、って言ってたわけじゃないから、本当はとやかく言うのもどうかって思うけど」

「……思うけど？」

「ちょっと腹が立ったね。どっちの味方なんだ、ってことなんだろうね」

「うーん。そう思うのか」

「思ったよ。でも後からこうも思った。那美は当然、私のことを考えて行動してくれるように思ってた、っていうのが、まあ、結局自分の甘えだったんだって」

　淡々と感情を交えずに言った。那美は、急に声のトーンを上げて、

「そりゃ、そうだよ。私は珊瑚と雪が幸せになるんだったら、たいていのことはするよ。それが珊瑚の言う『珊瑚のことを考える』ことなら、それを考えるよ。けど、私は泰司も知っているから、三人が幸せになってくれるのが一番いいんだ。泰司がさ、あんなふうにやってきたからには、きっと、前とは違った生活のビジョンみたいなものをもってきたのかもしれないって、なんというか、可能性みたいなもの？　そんなものを感じたんだ。もしそうだったら、それってよくない？　雪にとってもさ。なんてったって、実の父親なんだし。珊瑚の今の言い方って、皮肉っぽいよ」

　珊瑚はずいぶん長く黙っていた。そして、

「皮肉のつもりじゃなかったけど、でも、なんか、ちょっと、なんか、分かった気がする。ありがと、那美」

　そう言われて那美は少し構える。

「え、何が？　それ、怒ってるんじゃないよね」

「違う。なんか、自分に足りないものが分かった」

「え？　なに、それ。気になるよ」

「うーん、なんていうかな。大らかさみたいなもの」

ああ、と、那美はうなずいた。

「珊瑚が何を言いたいか分かる気がするよ。でもさ、それって、ようするにいいかげんさみたいなものなんだよ。珊瑚は、いいかげんなとこがないよ。それは言えてる。だからさ、そのままでいいよ」

そう言われて、思いもかけず、珊瑚は涙ぐんだ。そして、

「わあ。どうしたんだろう、私」

「言ったじゃん。子供を産むと、涙腺《るいせん》が緩むんだよ」

那美は視線を自分の手元に落とし、

「これ、おいしいよ」

「ありがと」

涙を拭《ふ》くと、今までとは少し違う改まった声になって、

「それはポテトとマッシュルームとアボカドとサーモンのマスタードサラダなんだけど、そのままを名前にすると長すぎるのが悩みなんだ」

そうだねえ、と那美はしばらく考え、

「まったく違った名前にしたら？　たとえば、野原サラダとかさ」

「人の名前みたい」

「唯々諾々サラダ」

「わけわかんない」

「うーん」

　雪は隣でうつらうつらしている。雪の食べられそうなものを一部、味付けを薄くして、タッパーに入れて持って帰って来ていた。お腹がいっぱいになったのか、もう口を開けようとせず、目の焦点も合わなくなり、こっくりこっくりと白眼がひっくり返りそうになっている。

「雪の目が怖い。もう寝かせてやらなくちゃ」

　那美がそっとささやいた。

『雪と珊瑚』の店内は、客用テーブルこそ入ったものの、さまざまな備品がそのテーブルやカウンターの上に積み重なって、戦場のようなありさまを呈していた。そのうちの一つのテーブルの上を片付けて、珊瑚と由岐は、「思わず注文したくなる魅力的な料理名」について話し合っている。すでに開店を数日後に控えていた。雪はくららのところに預けてあった。店内は開店のための、いわばラストスパートに入っていた。「春用」メニューはほぼ決まったが、それぞれの料理を客に認知してもらうための名前がまだだったのだ。総菜一つ一つの命名について、由岐は確固たる意見を持っていた。

「できるだけ、それに使っている食材の名を入れたものにした方がいいよ。そのほうが、具体的に思い浮かぶし。食材の名前って――たとえばとうふとかニンジンとかソラマメとか――それだけで、もうなんかパワフルなんだから」

そう言われると、それもそうだと珊瑚は思う。

「そういえば、野菜の名前って、なんか説得力があるよね、自己主張というか。ホウ、レン、ソウ、とか」

「そうそう。名前自体が、もう顔を持っているんだよね」

珊瑚はおもむろに鉛筆でなにやらノートに書きつけていたが、

「じゃあ、こんな感じかな」

と言って、読み上げた。

「『ミント風味のコールスロー』」

「いいね。あれはさわやかだね。コールスローでキャベツが入っていることは分かるし」

由岐はうっとりと眼を閉じる。ミントはどうやら、雑草のようにこの敷地内の至るところにランナーを伸ばしているらしいことが、春になって分かった。

「『細切り牛肉とセロリとアスパラ、そして松の実』ってのは長いかな」

「力が入りそうだね。そして、っていうのがいいね」

「わざとらしくないかな」

「大丈夫。許容範囲」

「復習しよう。牛肉は繊維に対して斜めになるように切るのがポイント。セロリとアスパラも、その肉に長さ、幅を揃えて準備する」

「よし」

「じゃ、次は『タコサラダ』」

うーん、と由岐は首を捻《ひね》り、

「確かにそうだけど、それだけだとタコのカルパッチョのようなものにとられるかもしれないし、メキシコやカリフォルニアのタコスサラダみたいなのに間違えられるかもしれない」

「けど、材料が多すぎて」

これも、くららに教わった料理で、茹《ゆ》でたタコやポテト、タマネギやオリーヴ、トマト、キュウリなどを八ミリくらいの小さな角切りにして、ケイパーも加え、塩胡椒《こしょう》、オリーヴオイルだけで和《あ》えたものに、搾ったレモンをたっぷりかけるのである。シンプルでおいしい料理だが、材料となると、確かにタコ以外のどれをとっていいやら迷う。

「じゃあ、『アドリア海のタコサラダ』」

「まあ、いいか。くららさん、確かその辺の料理って言ってたし、いわく言い難し、って感じを汲《く》み取ってもらうことにして」

「じゃ、次行くね。『ササガキゴボウとルッコラのサラダ』」

「ふんふん。それ確か、粒マスタード入りのヨーグルトソース和えだよね。あと、カリカリの細切りベーコンも入る。それはタイトルに入れないの？」

「長くなるでしょう。他の料理と区別するための名前でもあるんだから、これだけでもここはいいかな、と思って」

「じゃあ、一応オーケー」

「『エビとブロッコリ』」

「はいはい」

「『カニとブロッコリ』」

「ちょっと待て」

由岐は閉じていた目を開けた。

「同じブロッコリを使った料理でも、その二つの料理は全然イメージが違う。なのにその韻を踏んだネーミングの流れは安易なんじゃないかな」

「でも、まあ、そういうことでしょ」

いやいやそれは、と由岐は首を振る。

「『エビとブロッコリ』の材料は、大きめのエビと、同じくらいの大きさに茹でたブロッコリと、ブラウンマッシュルームだよね？　それをちょっとの片栗粉でまとめた、鶏《とり》ダシのあっさりした中華風。パクパク食べられる。ところでなぜ、名前からブラウンマッシュルームを外す？」

「だって、エビの赤とブロッコリの緑が鮮やかな料理だし、その印象を伝えた方がいいと思って。ブラウンマッシュルームって、長いし余計な情報みたい」

「そう？　エビとブロッコリとブラウンマッシュルーム。いいと思うけどなあ。まあ、それはともかく、次の『カニとブロッコリ』は、反対にすっごく細やかな料理だよね」

「そうそう、ブロッコリなんか、あれを一つの木にたとえると、幹から大枝を外して、小枝にしていって、さらに先っぽのとこ縦半分、すっごく小さく小さくしていったね。カニ身も、うちはカニ缶を使うけど、繊維に戻るくらいに細くほぐしていって、パルミジャーノ・レッジャーノをこれもまた細かくすりおろして、レモン汁とオリーヴオイルでドレッシング作って、型に入れてふわっとまとめた。あ、塩胡椒も」

「そう、塩胡椒と。これなんか完全に前菜だよね。お総菜って言えるかなあ。量の割にはえらく手間暇かかるし。売るにしても、カフェで出すにしても、採算を考えるとほんのちょっとしかないよ。武骨な『エビとブロッコリ』を食べた人が、そんなもんだろうと思って『カニとブロッコリ』を頼んだら、絶対ショック受けるよ」

「それも分かるけどさ。くららさんに、これつくってもらったとき、その前まですごくばたばたした、荒くれた気分でいたのに、白い大皿の真ん中に、ふわっとこんもりあれを盛られたのを一口食べたとき、ああ、って、思ったんだ。なんか体中の細胞が、落ち着いた、というか」

一つ一つ、小さく仕分けされたブロッコリの一部が、崩れないように固く茹でられて、その鮮やかな緑がカニの繊維の間に着物の生地の文様のように収まっていた。一口で飲みこむように食べるものではないと、直感したのを覚えている。

「なんか、もう一度生活に前向きになれるよね。それも分かる。じゃあ、お総菜でこれを注文する人には、特別、何か一声かけよう。家で盛るときはミルフィーユをイメージして、とか。カフェで注文してくれた人に出すときは、これだけは寄せ盛りにしないで平皿の真ん中に小さく盛ろう」

「そうだね。この料理の身上は、とにかく心を込めて手間暇かけた、ってとこだね」

「その割には作り方は簡単だけどね」

顔を見合わせて、ふふっと笑った。これに限らず、凝った料理はほとんどない。予算の多くは野菜に費やすから、高価な食材はほとんど使えない。その野菜の元気さを味わってもらいたいから、作る時も勢いが大事と思っている。そういう意識は、野菜と向き合ううち、いつのまにか口にしなくても二人ともくららと共有するようになった。

今年の春は、ブロッコリが豊作らしい、と時生から聞いていた。ブロッコリは安くなる可能性が高い。たくさん入れたい。「カニとブロッコリ」で残したブロッコリの幹は、筋の集中した皮をむいて茹で、オムレツなどに入れる。

「で、次は」

「『レモン風味の蒸し豚』」

「直截《ちょくせつ》的すぎない？」

「いろいろ考えたんだけど、豚は豚だからね」

「いや、そういうことじゃなくて。パプリカの薄切りとか新タマネギのスライスとか、クレソンとか、いろいろ野菜も添えるわけでしょ」

「けど、豚だからね、結局。豚で体言止めする方が迫力があるでしょう」

「うん、まあ、食べたらおいしいんだけどね、これ。パサパサしないでしっとりして。そのおいしさが伝わるかなあ」

「で、次は『鱈《たら》と茸《きのこ》の生クリーム煮』。これは牡蠣《かき》が安い時は『牡蠣と茸の生クリーム煮』にする」

「分かった」

塩鱈は割に安価で一年中手に入り易い。牛乳でまとめて塩抜きすれば、臭みも抜ける。それを一度素揚げにして使えばコクも出る。

「ハンバーグは二種一組で。『クミンシードとタイムのハンバーグ』」

「クミンシードは大袋入りを安く買ったし、タイムは外でいくらでも生えてるし。卵入れずにタマネギとレンコンすったので挽《ひ》き肉《にく》をまとめて、ほんのちょっと隠し味にガラムマサラ入れる」

「そう。さすが、よく覚えてるね。そして平べったく、じりじり煎餅《せんべい》みたいに焼く」

「おいしかったたね、シンプルで」

「名前、ちょっと長いけどね」

「でも確かそれ、乾煎《からい》りした松の実も細かくして入れるでしょ」

「うん」

「なら、松の実もタイトルに加えた方がいいんじゃない？　セールスポイントになるよ」

珊瑚は一瞬考えた。自分がなぜそれを入れなかったのか。無意識にそうしたが、自分の無意識がそうしたからには理由があるはずなのだ。

「それは食べた人が探り当てて感じてくれるところがいいんじゃないかなあ。クミンシード風味とタイム風味が二種類、っていうのが強調すべきところだから」

「分かった。それでいこう。次は？」

『三色スパニッシュオムレツ』」

「短いけど、愛が感じられないなあ」

「じゃあ、『ドライトマトとアスパラ、ポテトにオニオン、スパニッシュオムレツ』」

「投げやりだなあ」

「ああ、むずかしい」

「元気いっぱいカラフルスパニッシュオムレツっていうのは」

「……やめようよ、そういうの。薄っぺらいよ、なんだか」

由岐はにやりと不敵に微笑んだ。

「実は私も今ちょっとやけくそで言った。即却下してくれてうれしい」

珊瑚はため息をつき、

「分かってたよ、やけくそで言ってるってこと。まあ、それはともかく、『バジル風味スパニッシュオムレツ』は？　メインの食材でないからバジルに代表になってもらうのもどうかと思うけど」

「ああ、それいい。分かりやすいし」

「じゃ次。似たような悩みを抱えています。『ポテトとマッシュルーム、アボカドとサーモンのサラダ』」

「長すぎだし、説明的」

「那美にもそう言われた。けど、タイトルで説明する方がいいって言ったのは誰？」

「とにかく特徴的な材料に絞ろう」

「総菜なら、ポテトサラダ関係が人気があるんだって誰か言ってたよね」

「実感として分かるね」

「だからポテト、っていうのは絶対入れよう。マッシュルームは割によく出てくる食材だから、これを出すとかえって紛らわしくなる可能性がある。アボカドとサーモンは今のところこの料理だけに出てくるから、『アボカドとサーモンのポテトサラダ』っていうのはどう？」

「ああ、いいと思う」

「次は和総菜二つ。まず、『茄子《なす》の味噌《みそ》炒《いた》め』」

「それ、鶏肉やカシューナッツも入るでしょう？　それは？」

「うまく名前に入らないんだ。『茄子と鶏の味噌炒めカシューナッツ入り』より、『茄子の味噌炒め』の方が力強くておいしそうじゃない？」

「そう言われればそうかな。まあ、いいとしましょう。次は？」

「『厚揚げと水菜小松菜青梗菜《チンゲンサイ》』」

「こっちはまたえらく親切だね。すごいね。けどせめて、菜っ葉三種とかいう言い方にまとめない？　そしたら、全部がそろわないときにホウレンソウとかで逃げがきくよ」

「ミズナコマツナチンゲンサイ、って、一気に言うところがいいんじゃないの」

　由岐は苦笑して、

「人の好き好きって、本当にいろいろだね」

「ホウレンソウが入ったら、水菜小松菜ホウレンソウ、にする。そのたび、名前を変えていく」

「よし、それでいこう。これで今のところ全部かな」

「ああ、あと、クレソンとニンジンのサラダ。これはもう、このままでいいね」

「オーケー」

「くららさん、納得するかな。クレームが来るかな」

「来ないよ。だいたい、くららさん、教えるとき名前言わなかったもんね」

「自分の中ではあるみたいだよ。その料理を教わった人の出身地とか、なんとか山のウズラ風、とか、なんとか谷のカワカマス風、とか。誰も知らないような地名。でもそれじゃ、何の事だか分かんないものね。奇を衒《てら》ってるって思われても仕方ないし」

敷地を歩いている音がして、ああ、来た来た、と由岐が立ち上がった。時生が根菜類を運んで来たのだった。玄関で、

「入りますよー」

と声がしたかと思うと、すぐに大きな段ボールを抱えた時生が、部屋の中に入ってきた。

「すごい活気だな」

散らかった室内を見て、目を丸くした。

「これでも今朝よりは少しまし。収納庫が届いたんで」

「それでメニューはもう決まったんですか」

珊瑚は黙って今まで書きつけていたノートを見せた。

「夏野菜がもっと出てくるようになったら、バーニャ・カウダもいいと思ってるんですけど」

「今頃でも大丈夫ですよ。春山菜のバーニャ・カウダ。たらの芽やこごみやフキ、タケノコやうるい。シンプルに茹《ゆ》でて、アンチョビとニンニク炒《いた》めたオリーヴオイルをかける。たかさんはよくつくるよ」

「彼はつくりそう。でも、それって毎日の総菜としては店に出せないでしょう」

「あ、そうか」

「ある程度、安定供給が見込めるものじゃなきゃ」

「けど、本日のスペシャル、的な扱いだったらどう？」

珊瑚は時生を見つめた。

「なるほど。それ、いいかもしれませんね」

ほめられて気を良くした時生は、メニューに目を通していたが、最後に、

「あれ、肉じゃがないんだ」

珊瑚と由岐は顔を見合わせた。

「男の人って、どうしてそう肉じゃが肉じゃがっていうのかなあ」

由岐が眉間《みけん》に皺《しわ》を寄せた。

「だって、肉じゃがは家庭料理の基本でしょ、やっぱり」

いつもはあまり我を通さない時生が、これだけは譲れないという口調で言ったので、
珊瑚は噴き出した。時生はさらに、

「グリーンピースいっぱい入れた肉じゃが、っていうのはどう？　これからグリーンピースの収穫なんだ」

「それなら豆ごはんの方がいい。それか、グリーンピースを茹でて裏ごしして生クリームかマヨネーズで和えてポテトサラダのソースにする」

由岐は続けて冷たく言い放った。

「肉じゃがって、おしゃれじゃない」

ああ、と珊瑚は以前由岐が話していたことを思い出した。昔、彼女の付き合っていた男性が別の女性と浮気をして、そのすったもんだの最中に彼がぽろっと言った言葉が、「彼女の肉じゃがうまいんだよな」というものだった。あまりのばかばかしさに由岐はそのまま口もきかずに部屋を出ていってそれっきり、という内容だった。

由岐はまだそのことを根に持っているのだろうか。肉じゃが自体には罪はない、と言ってみようかと思うが、珊瑚もそれほど肉じゃがをメニューに加えたいと思っているわけではない。しかし確かに肉じゃがというのはたいていの総菜屋で目にするメニューである。ということは、時生のように、肉じゃがをほとんど必須《ひっす》の家庭料理の定番のように思っている人も多いのだろう。

由岐の発言に、時生は一瞬押し黙ったが、すぐに、

「そりゃおしゃれじゃないかもしれないけどさ、この店のコンセプトは、客に元気を与えるってことだろう？　それなら肉じゃががあってもおかしくはないじゃないか。僕は肉じゃががあると元気になる気がするけどなあ」

そのご意見、一応承りました、とばかり、由岐は頷《うなず》き、それから、うん、と、自分自身に気合を入れると、

「肉じゃがって、砂糖やしょう油使いすぎるし、健康にはあまり良くないと思う。元気になるっていうのは、そういう気がするだけじゃない？　これって、明治時代に牛肉が

急に食べられるようになって、開発された料理よね。甘辛い味なら、日本人の郷愁も誘う。日本人全体にかけられた麻薬みたいなものなんだよ。そこから自由にならなくちゃ、時生さん」

「肉じゃが、って名前が問題なんじゃないかな。たとえば、ポテトと肉の甘辛煮、とか」

珊瑚が助け船を出すと、

「だめなんだそれじゃ。肉じゃがは肉じゃがでなきゃ。ほかの名前がついたら、もう全然肉じゃがでなくなってしまう」

ほとんど叫び出しそうな声で時生が返した。由岐は、

「それそれ。もうそうなると信仰のようなものじゃないですか。単に食べて元気が出るだけなら、何て名前をつけても同じはず。やっぱり、洗脳されてるんですよ。まず、時生さんがそこから抜け出すことが、日本人の新しい個人意識獲得につながるんですよ。がんばれ、時生さん」

時生は言い返せず、あっけにとられた顔をしている。

「うーん」

珊瑚は唸《うな》った。

「肉じゃがをメニューに加えるかどうか、というのが、ほとんど店のポリシーにかかわるような重大テーマをはらんでいたとは」

由岐はまじめな顔で、時生は少し笑いを堪《こら》えているような顔で、二人とも珊瑚を見つめている。今、ここで安易に結論が出せる問題ではないのだ、と珊瑚は悟った。

「この件に関しては、ちょっと時間をください」

13

雨が降っている。

午前中の店内には、客が二人、いずれも近所の女子大生とおぼしき身なりで、一人は肩までのまっすぐのストレートヘア、俯《うつむ》いて本を読み、もう一人は緩めのカールのかかった髪で、ぼんやり外を見ている。窓の外の木々にはもう、新緑の頃の若々しさは見えない。深い緑陰を抱えて、しんと静かだ。大きさと質感の違う木々の葉に当たって落ちてくる、テンポも音量も違う雨音が、開け放たれた窓から、湿り気のある緑の匂いと共に入って来て、薄暗い店内に響いている。

珊瑚はこの雰囲気を壊したくなく、できるだけ音を立てずにカウンターの中で作業を進め、ランチタイムに向けての総菜の仕上げにかかっている。ほとんど出来上がっているのだが、料理によっては手順の最後の、和《あ》えたり、ソースをかけたり、という部分を店頭に出す直前にする必要があった。一段落ついたとき、まるでその気配を待っていたかのように客席から、「すみません」と声がかかった。「はい」と、厨房《ちゅうぼう》を出てテーブルの方へ近づくと、カールがかった柔らかい髪の方の女性が、「コーヒーもう一杯」と、自分の声をできるだけこの静寂に添わせるかのように、遠慮気味に言った。「はい」と、珊瑚もにっこり応じた。コーヒーはカロシトラジャ、紅茶はダージリン、それぞれ一種類だけ。自分が本当においしいと思ったものだけを出す。メニューに他の銘柄を書かなかったのは、少ない人数で料理まで対応するために、種類ごとに淹《い》れ方を変える余裕がなかったからだ。けれど、コーヒーを淹れるときはいつも、外村の一杯一杯に集中していた姿勢を思い出す。

珊瑚が淹れ終わった二杯目をテーブルに運ぶと、女性は嬉《うれ》しそうに軽く頭を下げた。こんな湿気がある日でも、不思議にそれが心地いいのは、壁がそれを吸い取るからだろうか。珊瑚は厨房へ戻る際、壁面がいつもより色の濃く見えるのに気づいた。

オープンからの一週間は、来客のほとんどが知り合いか、由岐の大学の壁塗りサークルの仲間たちやその連れで賑《にぎ》わった。自分たちが塗り上げた壁の出来を確認し、達成感に浸ることと、自分たちのサークル活動の成果を次のターゲットに——新たに壁を塗らせてくれそうな——見本として見せるためのようだった。

壁はところどころ少し臙脂《えんじ》の入った落ち着いたベージュに仕上がっていた。家主の許可を得て、この敷地の外れを採土場に定め、そこで粘土層を掘り当て、生石灰等を混ぜ、壁土用に加工したのだった。化学薬品ゼロ、というのが彼らの自慢だった。部長の三山《みやま》が、

「ただひたすら塗り上げる。その充実感、修行僧のようなストイックさ。金を貰《もら》わないところが、ストイックさに磨きをかけるんだ。しかも、その成果は見ただけで分かるからね。座禅でも得られない、達成感」

と、新入部員に、うれしそうに説明しているのを聞き、カウンターにいた由岐は、小声で珊瑚に囁《ささや》いた。

「でも、材料費は取るし、見ただけで誰が塗ったか分かるとこもあるけどね」

ううん、ありがたいよ、床も張ってくれたんだし、と珊瑚は首を振る。由岐は自分の紹介だから、多少謙遜《けんそん》もあってそう言っていることが、珊瑚には分かっている。素人くさい出来が、不思議に外部の野放図に伸びた草木とあいまって、独特の味わいを出していた。三山はここが自分たちの最高傑作になるかもしれない、と言った。それに、料理もうまい、とも。料理の評価は、三山より、女子部員たちに高かった。

「野菜がおいしーい」

そう言う声を聞くたび、珊瑚と由岐は顔を見合わせて微笑み合った。

それから一ヵ月が過ぎ、二ヵ月が過ぎ、最初は無我夢中だった店の運営も、次第にリズムがつかめてきた。朝は、雪と共に七時に出勤する。雪をおんぶして、総菜の仕込み

をする。九時半になったら雪をくららの家に連れていく。戻って来て看板をＯＰＥＮにする。十時に開店。ランチと総菜のテイクアウトは十一時半から。それまで、客の応対をしながら仕込みの続きをする。十一時半になったら由岐がやってくる。由岐は週のうち四日、十一時半から出勤する。二時半ごろ、総菜の減り具合を見て作り足したり、翌日の料理の下ごしらえ（ジャガイモやニンジンの皮むき、等）を始める。午後七時に店を閉め、七時半には雪を迎えに行く。

総菜は、当初珊瑚が描いていた、「疲れ果てた勤め帰りの客」用には、なかなか売れなかった。そもそも「疲れ果てた勤め帰りの客」には、遠回りして林の奥まで歩いてくる気力などなかったのだった。それに勤め人が本当に疲れ果てて帰ってくるのは夜九時を過ぎてからだ。オープンを夕方頃にしようかとも思うが、雪が小さいうちは、夜、傍にいてやりたい。

経営的にはまだ、黒字とまではいかなかった。今日は比較的売り上げがあった、と思えば、次の日はほとんど来店がなかった、ということすらあった。総菜を捨てるのはしのびなく、そういうときは、以前くららに習ったおかずケーキにして焼き上げ、冷凍した。こういうこともあろうかと、フリーザーだけは大容量のものを奮発してあった。土曜日は総菜はなしで、おかずケーキと飲み物だけの店にした。なので、土曜日の朝はいつもよりゆっくりとしていられる。総菜にかける手間がいらないので、日中も楽だろうと思ったが、これはうれしい誤算で、おかずケーキは人気があり、しかも土曜日とあってけっこう客が込んだ。

「土曜日だけ、テラスでも食べられる、ってしたらどうかしら」

と、由岐が提案する。

「テラスって、どこ？」

珊瑚がまじめに聞き返すと、

「今からつくる」

確かに、以前縁側だった部分は、そのままグラウンドレベルに下げてあるのだから、その外側を整備すれば、テラスと呼べなくもないだろう。

「何も工事しなくても、エクステリア用の椅子とテーブルを置けば、そこがテラスになる」

由岐のその言葉には少々無理がある、と思ったし、エクステリア用の椅子とテーブル、というのがまた費用がかさみそうで、そのときは受け流した。それよりも手を入れたいところはまだある。

門周りや小径《こみち》も、毎朝掃いてきれいにしているのだが、それでも雨が降ると歩きにくい。流行《はや》りのミュールを履いている客などは、入口で踵《きびす》を返して帰ってしまうだろう。那美が言うように、「雨天の際は、雨靴か軽登山靴着用のこと」と、看板に書き添える方が親切なのかもしれない。それとも本当に雨靴を何足か、準備しておくか。入口で靴を履き換えてまでやって来てくれる客がいたら、コーヒー代をただにしてもいいくらいありがたいと思う。雨靴を用意しておくのなら、看板の脇のところくらいに、水にぬれてもかまわないアルミ製の物置のようなものを設置しておかなければならないだろう。けれどそれは大仰だし不細工だ。かといって、小径を舗装してしまうようなことはしたくない。その問題も早く何とかしなくてはならない。

珊瑚は色の濃くなった壁から、雨粒で濡《ぬ》れた窓に目を移す。どうやら、この界隈《かいわい》は梅雨に入ったのだ。カールの髪の女性の足元を見ると、レインシューズとは言えないまでも、それなりに水たまりに対応できる厚底の靴を履いてきている。彼女は最近、午前中の常連だ。一度懲りたことがあったのかもしれない。

彼女が帰る素振りを見せたとき、珊瑚もレジに立ち、会計をしながら、

「お足もと、だいじょうぶでしたか」

と訊《き》いてみた。女性は一度目を大きくして、それから微笑んだ。

「だいじょうぶです。そういう靴を履いてきたので」

やっぱり、そのためだったのだ、と思いつつ、

「ごめんなさい。あの道も何とかしないといけないと思っているんですが……」

女性は大きくかぶりを振って、

「いえいえ、絶対舗装なんかしないでくださいね。私、ここが大好きなんです。緑がこんもりとして、いいなあ、と前から思っていた場所に、カフェが出来て、こんな幸せな

ことはないんです」

奥で、本を読んでいたストレートの髪の女性も、本から目を上げ、微笑んでまっすぐこちらを見ている。口には出さなかったが、同感、ということなのだろう。珊瑚は鼻の奥がジンとする。

「ありがとうございます。また、いらしてください」

「また来ます」

女性は、ぺこんと頭を下げて帰って行った。


そんなことがあったの、今朝、と、夕方野菜を持ってきた時生と由岐に、そのことを話した。ちょうど客の切れ目でもあった。

「わー、うれしい。ありがたいですねえ、珊瑚さん」

由岐は両手を握りしめるようにして感激して見せた。

「でも、確かに、今どろどろだから、道」

時生が苦笑しながら言う。

「前から思っていたんだけど、素焼きの煉瓦《れんが》を埋め込むのはどうだろう。本格的にやれば、土台を水平にしたりして大変だけど、ほんとうに素人が埋め込んだって、感じでやれば……」

「でも、ヒールの高い靴を履いている客には大変かも。煉瓦と煉瓦の隙間にヒールが入り込んで、かえって歩きにくいかも」

「じゃあ、大きなタイルのようなテラコッタがあるから、それを敷こう。大急ぎで注文して、出来るだけ早く」

「どういうふうになるんだろう。そのテラコッタとテラコッタの間に、隙間があって草が生える、って具合になってくれればいいんだけど……」

「そうなる、きっと」

時生が、だいじょうぶだから、というふうにうなずいて見せ、

「それより、門を入ってすぐ右に折れたところの脇にケヤキが数本あるでしょ。その足元にヤツデが二株。あれ、なんだか陰気だから、切った方がいいんじゃないかな」

と言った。

ヤツデは梅雨に入ると艶々《つやつや》とうつくしく、どんどん存在感を増してくるもので、珊瑚はそんなことはとてもできない、と断った。時生がこの『雪と珊瑚』に肩入れしてくれるのは有り難いが、最近、以前より少し積極的な「感想意見」が多くなったことに、珊瑚はそのとき気づいた。時生自身、かかわるうちに「ひとごと」ではなくなった、ということなのだろうか。由岐や那美が言う言葉なら適当に受け流すことができるのに、時生に言われると、少し穏やかではいられなくなる。けれど、時生にはその程度の「感想意見」を言う権利は十分過ぎるほどある、とも思う。これもまた先送りの懸案事項だ。

以前の自分なら、そのことを考え詰め、早急に結論を出そうとしただろうが、先延ば

しにできることは、できるだけ先延ばしにした方が、その間、時の流れがいろんな条件を整え、無理なく事態が進むようになっていくもの、ということを、珊瑚はこの一年程で学んだ。

「一株切っただけでも、ずいぶんすっきりすると思うけど」

時生はけれど、彼にしてはずいぶんこのとき強圧的だった。珊瑚は、家主の意向もあるし、と常識的なことを言った後、

「ヤツデの大きな葉に、カタツムリが這《は》うところが好きなの。雪にも見せたくて」

そう言うと、時生は、

「そう」

と一旦《いったん》は大人しくうなずいたが、

「時生さん、ヤツデに何か嫌な思い出がある？」

由岐が横から口を出した。

「うーん、あると言えばある、ような」

それから黙りこんで、次に口を開いたときは、

「きっと、あんなに場所をとって大きな葉なのに、食べられないってことが、許せないんだと思う」

そう真顔で言うので、珊瑚も由岐も、思わず噴き出した。いつもの時生だ、と珊瑚は思った。

「食べられるとか食べられない、っていうのは、人間の都合で、植物には関係ないじゃない」

由岐が言うと、

「そうなんだけど」

と、時生はもう一度考え込み、

「いつもこの畑のこのスペースに何を植えるか、ってことばかり考えてるからかなあ」

「その辺、もうちょっと考えた方がいいよ」

由岐は容赦なく言い募る。

「でも、それって職業病みたいなものでしょ。だったら専門性が高いってことね」

珊瑚が間を取り持つ。三人の間では、いつの間にかこのパターンが出来上がってしまった。

その夜、雪を迎えにいった後、ふとまだうっかりジャガイモの皮剝《かわむ》きをしていなかったのを思い出し、もう一度店に戻った。雪はバギーの中で寝ていたので、降ろさずに調理場から見えるところにおいた。ジャガイモ二十個を袋から出し、ざっと洗うと手早く皮を剝き始めた。ピーラーを使うより包丁の方が早い。自分でも手慣れてきたと思う。すべて剝き上げ、水を張ったボウルに入れると上から布巾《ふきん》をかけた。店内の照明を全て消し、寝ている雪を起こさないようバギーを動かし、店を出た。小道だけはかろうじて古い庭灯で分かるようになっているが、保護樹林の内部は真っ暗だ。上空の木々の隙間から月夜が明るく切り取られている。木々たちは工房で働くもの同士のように密度の濃い静けさを作り出し続けている。庭灯だけでは心もとなく、懐中電灯で目の前の小道を照らす、その淡い光のなかを、突然大きなネコのようなものが横切っていった。ネコじゃない、あ、あれはタヌキだ、と思いついた瞬間、この暗がりがとてつもない宝石を抱え持っているように思え、雪を起こし、いっしょに踊り出したいような衝動に駆られた。

「タヌキだった、まちがいない。身のこなしがね、なんか違うの」

由岐に話すと、

「ああ、私も見たことがあるかも。でもまさか、って思って……」

「残り物、裏に出して置いてみようか」

「そんなことしていいのかなあ」

「タヌキだってこんなに人間に開発されて住宅難の世界で生きて行かなくちゃならないんだから、ちょっとくらいいいことがなきゃ」

そう小声でしゃべっていると、店内にいた客の一人が立ち上がった。勘定と見てとった由岐がすばやくレジに立った。その若い男性客が出て行ったあと、由岐はさらに小さな声で、

「あのお客さん、以前、女の子と二人で来てたよ、たしか」

「ふうん」

「どうしたんだろうね」

カップルの客など、珍しくもなかろうに、と珊瑚は思いつつ、

「ただ、住まいがこの近所、ってだけなのかもしれないよ。で、彼女は遠くに住んでいる。たまたま彼女が来たときに、うちに寄った。来てみたら案外よかったので一人のときも来るようになった」

「まあ、そんなところだろうね」

由岐は浮かぬ顔だ。かと思えばその数日後、

「あのお客さん、今度は違う女の子と来ていたよ」

「ふうん。由岐さん、気になるんだ」

「ちょっとね」

そんなたわいない噂話も出るようになった。けれどあまり常連客とべたべたするのは良くない、と珊瑚は思う。いつも変わらぬ、ある程度の距離を置いた関係の方が、相手にも負担にならなくていい。しゃべらなくちゃいけない、と思わせたら気の毒だ。客から話しかけられたら、できるだけ心を込めて対応する。しゃべりたくないときは、何の気兼ねなく、ただ黙ってぼうっとしていられる、まるで自分の家庭にいるような店。珊瑚は家庭を知らなかったが、きっとそういうものだろうと思う。そういう家庭をつくりたかったが、最初から挫折《ざせつ》してしまった。けれど、それが仕事になったら話は別だ。

店の裏手に、少しだけ残り物をおく習慣が出来た。朝来たときはなくなっているので、野良猫かタヌキか分からないが、何かが食べていることは間違いなかった。

そういうある日の午後、午前中によく来店していたストレートの髪の女性が現れ、店の写真を撮らせてくれないか、と言い出した。

「よかったら、近いうちにカメラマンといっしょに来ます。私、あの、もの書きなんですけど、ある雑誌からカフェの特集をするから、好きなカフェを紹介してくれって言われて、もしよかったらここのことを書かせていただきたいんですけど……」

最初、言っている意味がよく分からなかった。モノカキというのが、エッセイストや作家を意味する、ということがすぐに分からなかったのだ。珊瑚自身は最近の作家の本はあまり読んだことがない。だから、彼女が自分の名前を言っても、事態がよく呑《の》み込めていなかった。傍で聞いていた由岐の方が、

「わあ」

と、声をあげ、

「内田亜希子《あきこ》さんって、独身女性の日常をリアルに描くエッセイで有名な方です」

と、本人を前にしての好意の表明だったのだろう、珊瑚に向かって興奮気味に説明した。内田亜希子は恥ずかしそうだった。

「有名じゃありません。けれど、知っていてくださってうれしいです」

珊瑚は漠然と、よく雑誌に紹介される喫茶店の記事を思い描き、宣伝してくれるのなら有り難い、と思った。

「でも、あの、うちは、宣伝費とか出す余裕がなくて……」

この辺をはっきりさせておかなければならない、と思ったのだが、内田亜希子は一瞬キョトンとした顔をして、それから、大急ぎで手を振り、

「違います、違います。だいじょうぶです。むしろ、こちらが支払えないのが申し訳ないくらいで……」

由岐が慌てて、

「そんなこと、全然かまわないです。あの、ちょっとでも、ここを好きでいて下されば、それで……」

それなら、もう、自信あります、と内田亜希子はにっこり笑い、

「ここの、午前中の陽の光が好き、って思っていたんですが、午後も午後でいいですね。うーん、写真はいつがいいかなあ」

とひとしきり首を捻《ひね》っていたが、また、雑誌社の方と相談して、改めてご連絡しますね、と言って帰って行った。

二人でその後ろ姿を見送った後、

「珊瑚さんったら、宣伝費なんて言って……」

と、由岐が笑い転げた。

「だって、雑誌に載せてもらうのは高くつくんだって、前、『たぬきばやし』で聞いたことがあったから……」

「内田さんが書くんだから、ただの宣伝じゃないんですよ」

由岐は自信たっぷりに言ったが、よく聞いてみると、実は彼女の本はまだ一冊も読んでいない、と白状した。

「そのうち読もうと思ってたんですよ。帰りに図書館に寄ってみよう」


その週のうちに、内田亜希子はカメラマンと編集者を連れ、再び来店した。撮影には二時間ほどかかったが、来客もその間それほど多くなく、その客たちも皆、にこにこと迷惑そうな素振りも見せずにいてくれたことが有り難かった。

「これから書いて、雑誌に載るのが二ヵ月後くらいになります」

明日からもまた来ますね、個人的に、と内田亜希子は付け足した。それから二ヵ月後のことなど、忙しい日々のうちには、珊瑚の頭からすっかり忘れ去られていた。

『雪と珊瑚』には、年配の客もちらほら訪れるようになったから、最初そのカップルが現れたとき、珊瑚はさほど不思議には思わなかった。そのときちょうど客が混んでいる時間帯で、その二人の間にだけ、ある種の緊張感やぎこちなさが漂っていたにしても、強いてそれが何であるか考えるゆとりはなかった。けれどそのカップルも含め、客の波が去り、人心地付いたとき、ふと、ああ、もしかしたら、という考えが頭をよぎった。

それで、その二人がもう一度、今度は少し時間をずらして来店したときには、珊瑚にもある程度の心の準備はできていた。けれど、自分から話しかけるわけにもいかなかった。注文されたコーヒーを淹れて運ぶと、それには目もやらず、改まった様子で、珊瑚さんですね、と女性の方が話しかけてきた。

「はい」

と返事をすると、二人は頷《うなず》き、

「春田です。私たち、泰司の両親です」

やっぱり、と思いつつ、珊瑚は反射的にお辞儀をした。

「初めまして」

それから、

「なんて、ご挨拶《あいさつ》したらいいのか……」

と、戸惑いを隠さず、正直に言った。泰司の母は頷き、父の方は、声をあげて笑った。

「初めてあなたのことを知ったときには、こちらから挨拶しようにも、すでに縁が切れていた、ということでしたからなあ」

母の方が、非難するようにちらりとその夫に視線をやり、それから珊瑚の方へ向き直って、

「どうせ、泰司が言い張ったんでしょう。挨拶に行く必要はないって」

　それは正しい。けれどそれを言うと弁解がましくなりそうで、珊瑚は黙っていた。父は、

「二人だけのことだったら、そのまま済ますこともできたんだが、子どもがいる以上は、もう縁が切れたで済ますわけにはいかない」

　母は再び夫の方に顔を向け、

「ちょっと、黙っていてちょうだい」

　と低い声で言ったので、珊瑚は内心驚いた。母は続けて珊瑚に向かい、

「私たちは、小言を言いに来たんじゃないんです。珊瑚さんと雪ちゃんに会いたくて、孫に会わせてもらいたくて来たんです」

　と言ったが、それは彼女の夫に対する「小言」の続きのようでもあった。両方兼ねていたのだろう。夫の方はそれに腹を立てるでもなし、苦笑して黙ってしまったので、これがこの二人の間の力関係というものなのだろう。珊瑚は、

「私も、機会があれば会っていただきたいと思っていました。毎日忙しくてそういう余裕がなくって、申し訳ありませんでした」

　と、頭を下げた。泰司の母は、ほっとしたように微笑んで、

「泰司は養育費とか、まったく差し上げていないんですってね」

　これも、はあ、と頷くしかなかった。

「そのことも含めて、もう少しお話ししたいんです。雪ちゃんは、今どこに？」

「人に預けています」

と言って、以前、泰司に、その人信頼できる人？　と訊《き》かれたことを思い出し、付け加えた。

「信頼できる人です」

「会いに行っていいですか、今」

珊瑚は少し考え、

「ちょっと、訊いてみます。お待ちください」

そう言って、カウンターへ戻り、くららの家に電話した。くららは家にいた。珊瑚が事情を話すと、分かりました、どうぞいらしてくださいとお伝えして、と、力強く請け合った。電話の向こうに、泰司の両親がいることを察した上での、簡潔な返事だった。くららなら万事うまくやってくれるだろう。

「だいじょうぶだそうです。場所は……」

と、メモ用紙に簡単な地図を書いて渡した。それを受けとるとき、泰司の母の頬が一瞬上気したのを珊瑚は見逃さなかった。ここに孫がいる、もうすぐ会える、という喜びが透けて見えた。もっと早くこの人に会いたかった、と、珊瑚はちらりと思った。

その日、いつものように七時半にくららの家に寄ったとき、万が一、もし雪がいなかったら、と思う気持ちもないではなかった。だから、戸を開けてよちよち歩きをするようになった雪が自分を目がけて歩いて来たとき、珊瑚は心からホッとしていつもよりきつく雪を抱きしめた。

「御苦労さま」

　くららがその後ろから笑顔で声をかけた。

「ああ、今日はすみませんでした、突然」

「いつか来ることでしたものね」

　そう言って、ちょっと上がって、と珊瑚を促した。お邪魔します、と、雪を抱えたまま、珊瑚はくららの後に続いた。

「いい方たちでしたよ」

「ええ」

「珊瑚さんのこと、いろいろ訊いてらしたけど、まあ、それは仕方がないことですね。孫の母親のことですもの、知りたいわよねえ。知らないといけない、という気持ちもあるでしょうし」

　珊瑚が一瞬、不安そうな顔をしたのを見、くららは微笑んで、

「だいじょうぶ、ほめておきましたよ。私がいつも思ってることを正直に言っただけだけど。お二人とも、うれしそうだった」

「雪のことは」

「ああ。なんだか感無量、ってお顔でしたよ。雪ちゃんは、ちょうどお昼寝から覚めた

とこだったの。それで最初はちょっとご機嫌斜めだったけど、不思議ね、あまり人見知りしなかったの。それで、私がそのことをお二人に伝えたら、お二人ともパッと顔が明るくなって。耳が誰に似てる、とか、目は誰それ、とか、囁《ささや》き合っていたわ。最後には、雪ちゃんは、おばあさまに抱かれたのよ」

それは良かった、と珊瑚は心から思った。珊瑚自身には祖父母の記憶はない。自分に欠けているところを、自分の子どもが持てるのは、自分と自分の子どもは別々の人間だということは分かっていても、やはりどこかで人生をやり直しているような感覚がある。

「でも、どうしてお店のことが分かったのかしら。連絡をとっていたわけじゃないんでしょう」

「泰司だと思います。以前、那美から私が店を開くことを聞いていたので。もしかしたら、お二人とも先に私のアパートに行っていたのかもしれない」

「ああ。で、泰司さんはあれから」

「連絡はありません。でも、なんかそろそろ現れるような気がする」

泰司はああいう両親のもとで育てられたのだ、と、思うと、改めて自分と彼との間の距離を感じる。もしかしたら、自分が泰司に惹《ひ》かれたのもそういう「距離」だったのかもしれない。自分にない、安定感のようなもの。人から愛情を貰《もら》えることを当然のように受け止め、何の屈託もない。自分は未《いま》だに、雅美さんやくららさんの好意にすら甘え切ってはいけない、と用心しているところがある。どうしたらそういうふうになるのか、なれるのか。それを知りたい、と珊瑚は思ったものだった。そういう欲求を愛情と勘違いしていたのか。そもそもそれは同時に起きることなのかもしれない。嫌悪感が先に立ったら知りたいとも思わないだろう。……いや、思うかもしれない。そういうことがいっしょくたにみんな起こって、別れるときは、そのうちの嫌悪感が優勢になるのかもしれない。いずれにせよ、ある特定の相手にかける分の感情の容量が他に比して大きい、それを恋と呼んだり愛と呼んだり、憎しみと呼んだりするのだろう。

珊瑚が漠然とそんなことを思っている間、雪はくららとキャッチボールをしていた。と言っても、相互に投げ合っているというのではなく、くららが転がしたゴムボールをぎこちなく、それでも急いで（本人は全速力で走っているつもりなのだろう）取りに行き、だがそこから自分で投げ返したり転がしたり、ということはまだできないらしく、律儀にくららのそばまで歩いて運ぶ。ちょうだい、と手を出すくららに、はい、と渡す、そのときに、差し出された手の、上や横にわざとボールをずらしてやったりして、くららが「あれ」と大仰に驚くのを楽しんで、キャッキャッと笑う、というたわいのないものだった。こういう遊びの中にも、自分が相手から動かされている、自分が相手を動かしている、という力関係があり、それが絶妙に均衡を保っている。健全な関係、というのはそういうものなのだろう。泰司の両親も、ときにどちらかが主導権を握る、というのが露骨に見えて、そういう夫婦の在り方というものに接したことのなかった珊瑚は驚いたが、あれはあれで関係を長く健やかに保つ、という意味では成功しているのかもしれなかった。

「私の親のことは言ってませんでしたか」

「そうねえ、不思議にそのことにはふれませんでしたね。泰司さんがあらかじめ、何か言っていたのかもしれませんね。そのことも、いい感じを受けましたよ。でも、だからかしらねえ、自分たちがなんとか助けてやらなければならない、って思ってらっしゃる気もしました」

「私に、これからのことを話し合いたい、ともおっしゃいました。たぶん、定期的に雪に会いたいとか、養育費とか、そういうことだと思うんですけど」

くららは、雪の相手をしながら、

「そうね、私も、失礼ですけど、珊瑚さんはきちんとお支払いできていますか、って、心配そうに訊かれました」

「え。そんなことまで。で、なんて」

「それは雇い主との信頼関係の中での秘密です、ってはぐらかしました」

くららには、ようやく先月から保育費が払えるようになった。けれど、その前の分もあることを珊瑚は忘れてはいない。

「すみません」

「いいえ。でも、あの奥さまはそれでなんとなく全部察してらしたと思うわ。どうしても養育費を受け取って欲しい、と言われたらどうします？」

くらら以外の人間にそれを問われたら、そんなもの、受け取る気はない、と即座に答えただろう。けれど、言ってみれば珊瑚はくららに負債がある身だ。その養育費を――いくらになるかは分からないにしても――そのままくららに渡せたら、ことはスムースにいくのだ。それに、養育費を受け取らない、と突っぱねることは、珊瑚自身の意地であったり、プライドを守りはしても、本当に雪のためになるだろうか。自分のために祖父母が懐を痛めてくれた、と知ることは、将来雪の人間性が、母親の珊瑚の頑《かたく》なさを超えて、もっとおおらかなものに開かれていくきっかけの一つにもならないだろうか。

「よく分かりません。前だったら、絶対断ると思うんですけど……」

くららは頷《うなず》き、

「珊瑚さんが決断することよ。私のことなら心配しないで。幸か不幸か、両親が生活能力のなさそうな娘の将来を見越して、残しておいたものがあるから……」

「幸か不幸か、だなんて。それは、幸、に決まっているじゃありませんか」

つい、語気が荒くなった。その財産はそのまま親の愛情の証明ではないか、と珊瑚は叫びたい。

「そう思うでしょうけど」

くららは静かに珊瑚を見つめた。

「でも、どんな綱渡りの冒険に出たって、下に安全ネットが張ってあるって分かってる人生なんて、いかほどのものかと思うわ。あなたを見ていると」

　珊瑚は目を伏せた。なんと答えていいのか分からない。好んでこういう人生に飛び込んだわけではない。だから、自分が偉いのでないことは確かだ、と思う。他に選択肢がなかっただけなのだから。

「……偉そうなこと言えません、私。母のところへ行きましたから。あの店の借金の保証人を頼むときに」

　母は謎の人だ、と、珊瑚は今も思う。親子であるのに、まったく分からない。小さい頃は、世界で一番きれいな人だと思っていた。

14

　中学生の頃、珊瑚の相談にのってくれたスクールカウンセラーは、藤村佐知子《さちこ》と言う名だった。その藤村から、一度手紙が届いたことがあった。卒業してからほとんど交流はなかったのに、なぜ住所が分かったのだろう、と珊瑚はそのとき不思議に思った。中学を読んでその理由が分かった。珊瑚は今のアパートを借りてしばらくしてから正式に高校を中退したので、アパートの住所は高校側に知らせてあった。それが結果的に藤村の知るところとなったのである。

家庭の事情で中退したい、と話したとき、担任はそれまで授業中も見せたことのない悲しそうな顔をした。家庭に問題があることは入学当初から学校側も分かっていた。必要な入金は常に滞りがちで、保護者との連絡も取れなかったからだ。「どうしてもだめなのか」「はい」と珊瑚は短く答えた。「奨学金制度もあるぞ。おかあさんに……」珊瑚はちょっと考えて、「母は、行方、不明、なんです」と、言った。同情を買うようなことは口にしたくなかったが、とにかくこのことを言わなければ、時間は無駄に費やされるばかりだろう。担任は、それで諦《あきら》めたように見えた。が、出身中学の記録から、関係の深かったスクールカウンセラー、つまり藤村の存在を知り、連絡を取ったらしかった。

藤村の手紙は、中退は残念、と述べた後、珊瑚が受けられる可能性のある奨学金の種類とその受給方法、定時制高校の存在など、勉学を続ける方法について書いてあった。それから、最後に、母の今の所在について。その住所は珊瑚の聞いたことのない場所だった。

珊瑚は返事を書かなかった。なぜ藤村が母の居場所を知っていて、自分が知らないのか。そういうことに対する反発もあったが、手紙という新しい形に自分を開くことに、たぶん、本能的な恐れがあったのだ。珊瑚は当時、自分を表現する、ということに不慣れだった。他の人との表面的な付き合いだったら、なんとかこなせてはいたが、藤村とはすでにだいぶ内情に踏み込んだ会話をしていた。しかも、藤村は珊瑚の母とも――おそらく珊瑚の知らないことまで——話している。通りいっぺんの礼状のたぐいの文章でお茶を濁すような、そういう、いわば「スキル」は、珊瑚にはなかった。いったん書き始めれば、自分についての核心的なことに触れないわけにはいかないだろう。だから、その危険は冒さないことに決めた、そのときは。

金を借りるため、いよいよ保証人が必要になったとき、珊瑚は、藤村の手紙にあった母の「今の住まい」に連絡しようと決心した。母がどこまで自分を無視しようと、法的には自分の親であることには違いないのだから、少なくとも自分には、母に保証人を頼んでみる権利はある、と思った。母が断ったら仕方がない。どうしても保証人にならなければならない義務は、母にはないだろう。けれど、自分がそれを頼むことはおかしいことではない。母の世話にはならない、ということが自分を支えて来たプライドのようなものだったとしたら、そこから自由になることが、今の自分の課題のようにも思えた。

藤村の手紙にあった住所は、電車で一時間ほど行ったところのものだった。最後に「オリーブの木陰」気付、とあった。「オリーブの木陰」とは、何かの会社なのか、寮なのか。分からなかったが、電話番号もあったので、まず電話をかけてみることにした。ほとんど四年ぶりである。いきなり娘が現れるより、電話をかけて心の準備をしておいてもらう方がいいように思った。思い切ってその番号に電話をすると、

「はい、『オリーブの木陰』でございます」

と、ひどく落ち着いた、優しい声音が受話器の向こうから聞こえた。その声は母ではなかったが、心臓の音が向こうに聞こえるかと思うくらい高鳴った。

「あの……」

思わず口ごもり、絶句すると、向こうは電話口の相手の、そういう反応に慣れているのか、

「入会希望の方でいらっしゃいますか」

「あ、いえ……」

「先生のご講話は、毎日曜の朝十時からです。一般の方もおいでになりますよ」

声の主はますます優しく、誘うかのようだった。思わず、

「赤ん坊がいるんです」

と言ってしまった。どういう団体か、この流れに乗って確認したい気持ちもあった。

「大歓迎です。光の道を経験されるのは、若ければ若いほどいいのですから」

光の道……光の道……と混乱した頭の中で繰り返しつつ、

「あの、行き方なんですけど」

道順についてのマニュアルがあるらしく、女性はこれもまた優しく、懇切丁寧に説明を始める。あまりにスムースな流れに、これだけは確かめておかないと、と珊瑚は焦りを感じ、

「そちらに、山野保子《やすこ》という人がいますか」

受話器の向こうが一瞬沈黙し、それから、

「どちらさまですか」

今までとは違うトーンの話し口になった。

「娘です」

そう言うと、また一瞬の沈黙ののち、

「そちらの電話番号を教えてください」

珊瑚が電話番号を答えると、

「また、こちらから、ご連絡します」

そう言って電話は切れた。

母親は、どうやら何かの信仰に入ったらしかった。

受話器を置くと、珊瑚はどっと疲れを感じた。


「オリーブの木陰」からの電話はかかってこなかった。けれど、このことは母の耳に入っているだろう。心の準備はできたはずだ。珊瑚は翌日、雪をくららに預け、「オリーブの木陰」へ母を訪ねた。

母に会っても責めない。泣き言は言わない。ただ、保証人になってくれるように頼む。必要なことは、書類に署名と印を押して貰《もら》ってくること。それだけ。

訪ね当てた建物は、普通の民家にしては大きかった。門柱に「オリーブの木陰」と書かれた、表札とも看板ともつかない板が掛かり、門は開け放してあった。ところどころ剝《は》げかけた芝生に玄関まで踏み石が配してある。呼び鈴がないので、こんにちは、と声をかけながら玄関のドアを開けると、中は広めのホールになっていて、すみません、ともう一度声をかけると、はい、と奥から返事があった。三十前後の女性が出て来た。

「あの、こちらに山野保子がいるでしょうか」

向こうが何か言う前に、珊瑚はそう訊《き》いた。女性は一瞬興味深そうに珊瑚を眺め、

「います。……娘さんですか」

「そうです」

「今、向かいの棟の掃除をしています。そちらから回ってみてください」

自分が訪ねてくる可能性について、話し合いでも持たれたのだろうか、と珊瑚は不思議に思った。拍子抜けするほど何の滞りもなく事が運んだ。庭に出ると、確かに斜め奥に鉄筋二階建ての建物があった。中に入ると、「集会室」と書かれたドアと、奥にトイレの表示があった。そこで音がしている。覗《のぞ》くと、清掃中の女性がこちらに気づき、視線が合った。

高い鼻梁《びりよう》と頰骨、彫りの深い、エキゾティックな顔立ち。昔はまるでそれ自体意志を持っているかのように強烈なインパクトのあったストレートの黒髪は、今は控えめにゴムでまとめられている。母だった。母は珊瑚を認めると、微笑みも顔をしかめもせず、

ただ、

「ちょっと待ってて。すぐに終わるから」

腰をかがめて便器を磨き続けた。それが自分の生死を分ける重大な仕事であるかのように、真剣に。

母と自分との間には、透明の鉄板でもあるかのようだった。母は、作業を終えると、こっちにおいで、と言い、珊瑚を連れてさっきの家に戻った。そして二階の、いくつか並んだ小部屋の一つの戸を開け、中に入るように言った。三畳ほどの空間だったが、ほとんどものがなかったので、それほど狭くも見えなかった。母がそのまま畳の上に座ったので、珊瑚もそうした。向かい合わせになった。小さく息を吸って、

「私、今度お店を出すの」

と、一気に言った。母は、その意味を探り出そうとするかのように、じっと珊瑚を見つめた。珊瑚は、その目を見返すようにして、

「お金を借りるのに、保証人がいるの。それに、なってほしいと、お願いに来たんです」

動かない彫像のようになっていた母は、そこで微《かす》かに頷《うなず》き、

「保証人」

と呟《つぶや》いた。

「ええ」

珊瑚はきっぱりと言った。嫌とは言わせない、と思った。母はもう一度頷き、

「あんたの保証ならできる」

珊瑚は黙って書類を差し出した。母は小物ダンスの引き出しを開け、印鑑を出し、書類に署名して印を押した。

「これでいい？」

珊瑚は頷き、礼を言うべきか、一瞬迷った。結局言わなかった。代わりに、

「なぜこんなところに」

母は煙草を取り出し、ゆっくりとライターで火を点《つ》けた。その細身で深い真紅のライターには見覚えがあった。昔、母がそれを点けるとき、それは母の黒髪によく映えた。ようやく昔の母らしい仕草に出会った、やはり同じ人物なのだと、珊瑚は納得した。母は一服すると、

「藤村さんのところに行かなかったの」

「行かなかった。手紙はもらったけど」

「元気でやってるの」

珊瑚は一瞬怒りで体が震えそうになった。が、なんとかこらえて、

「じゃ。子どもを人に預けてるから」

と言って立ち上がった。母は、

「じゃあ、赤ん坊って、やっぱり……」

と、一瞬瞳《ひとみ》に動揺を見せた。が、それを無視して、部屋を出た。母は追いかけてこなかった。

大きく深呼吸をして、「オリーブの木陰」を出た。

珊瑚が藤村のところを積極的に訪ねなくなったのは、以前、くららに話した理由より、もっと直接的なものがあった。最後に会った折、彼女がふと、「あなた、本当にお母さんに似ている」と洩《も》らした、それからだった。帰り道、そのことが頭をよぎり、思わず片手で額を支えた。


以上が珊瑚が母に保証人を引き受けてもらったときの経緯である。それを、かいつまんでくららに話した。

「なんでああいうところに落ち着くことになったのか、結局母は話してくれませんでした。私に話す必要もない、と思っているのか。それにしてもなぜそれほど私を嫌うのか」

珊瑚は、一瞬口をへの字に曲げた後、

「謎です」

「嫌ってらっしゃるようには聞こえませんでしたよ。話してくれた限りのことでは。それにしても、お母さんのおっしゃる通り、その、スクールカウンセラーだったという藤村さんのところへ行って、お母さんのことを聞いてみたらいいのに」

珊瑚は、自分が母に似ていると彼女に指摘されたことを言い、

「心底、ぞっとしました。見たくないものを無理に突きつけられている感じがして。彼女と話すと、どうもそういうレベルのことに行きつく気がする。今、とてもじゃないけど、そういうことを考える気にはなれないんです」

くららは、ただ、深く頷きながら、はあ、と共感と思われるため息をついた。


『雪と珊瑚』の総菜の棚の横に、「メロンパン羹《かん》」が置かれるようになった。くららが以前、米粉でつくった「メロンパンもどき」に、珊瑚なりの改良を加え、卵や牛乳、小麦粉を使わない菓子をつくったのである。「ぜひ、それを売り物にしてください」と言っていた、西山親子のことが忘れられなかったのだ。連絡すると、翌日、開店と同時に、西山聡の母親が一人で現れ、

「いいお店」

興奮した面持ちで、店に入ってきた。

「ありがとうございます」

「壁も土壁だし。フィトンチッドがいっぱいあふれてるみたい。すみません、コーヒー一杯いただけます？」

「もちろん。あちらのテーブル席、お好きなところへどうぞ」

珊瑚は総菜準備の手を止め、コーヒーの支度にとりかかった。外の木の梢《こずえ》で、ピーポ

ピーと、イカルがおもちゃの楽隊の笛のようにのんびり鳴いている。店の中に映る木の葉影が、風に揺らいだ。

「ああ」

と、西山は目を閉じた。それからしばらくずっと目を閉じたままでいたが、

「久しぶり。こんなにほっとした気持ちになれるの」

珊瑚はコーヒーを差し出しながら微笑んだ。

「そう言っていただくと、つくったかいがあります」

「あ、いえ、メロンパンのことだけでなくて、この空間全体のこと」

「よかった」

「あの子が生まれてから、いつもいつも、なんだか神経がピリピリしていて、休まることがなかった」

珊瑚は頷く。

「お察しします。アレルギーのない子どもを持っていてさえ、そういう感じがあるので」

「え？」

西山は素《す》っ頓狂《とんきょう》な声を出した。

「まさか、あなた」

「ええ。一児の母です」

珊瑚は照れ臭そうに微笑む。

「そんなふうに、まったく見えない、お若くて。でも、どこか芯《しん》のしっかりした、素敵な方だな、という感じはあったけど、まさかお子さんがいらっしゃるなんて」

西山は、この発見がよほど意外だったらしく、頰を上気させて珊瑚をしげしげと見つめた。

「そんな。でも、命を預かっていることには変わりないので、いつも緊張感がある、っていうのは私も分かります。この子を育てるために、働かなきゃ、って」

「でも、『たぬきばやし』でお見かけしたとき、たしかに他のアルバイトの方とは違う感じがしたわ」

「生活感が滲《にじ》んでいたでしょうか」

珊瑚が冗談めかして言うと、

「うーん、そう言うんじゃなくて」

西山はしばらく考えていたが、

「たとえば、私はどう見えた？　きっと、きりきりとゆとりのない母親に見えたでしょう？　ああ、いいのよ、自分でも分かっているんだから。私も昔からそうだったわけではないの。けれど、ちょっと卵が入っているものを食べただけで、死ぬほど肌をかきむしる子どもの姿を見ていると、どうしても神経質にならざるを得ないの。レストランに入って、ああ、これは卵を使っていない、って思っても、いちいち確かめないといけない。ご存じでしょうが、下ごしらえに卵白や小麦粉を使ったりすることは、よくあること。エビチリソースみたいに、卵なんかどこにも見えないものですら。だから、一見大じょうぶそうに見えても、しつこく調理過程を聞かなくちゃいけない。それが、けっこう消耗することなのよ。ヒステリー気味の母親、って敬遠されることなんかましなほうで、何か、企業秘密を盗もうとしているかのように思われて、あからさまに不機嫌になる経営者もいるし、糾弾しているかのようにとられることもある。たぶんそういうときって、私自身、目の色が変わってるんだと思うの」

うーん、と珊瑚は聞き入っている。

「でも、そんなことを気にしていられないほど、自分にとってはもっと絶対的なことがあるって感じてしまう、なんか、いつでもすぐ、そういう一心不乱になれる、なってしまう、そういう性質の人が世の中にいて、自分もその一人で、私、あなたにも、何かそのとき、同じ仲間みたいな、親近感みたいなものを感じたのね。それが、他の、もっと『ゆとりのある』バイトの人たちとの違いかしら」

なるほど、と、うなずき、珊瑚は総菜の準備に戻った。西山は帰り際、

「これから、いろんな人に宣伝します。特に、アレルギーの子を持った親の会のメンバー。皆、大喜びだと思うわ」

「ありがとうございます」

笑顔で軽く会釈すると、西山はドアに向かおうとし、ふと思い出したように、

「さっき言った、何かに一心不乱になる性質、って、遺伝性のものでもあるなあ、って最近つくづく思うの。実家の母を見ていると。あなたも、そういうことない？」

　珊瑚は微笑んだまま、返事が出来なかった。

15

　店の常連になったエッセイスト・内田亜希子の、『雪と珊瑚』について述べた文章が雑誌に載った。今朝、内田が発売前のその見本誌を持って店へやってきた。

「不安があるとすれば、この記事のせいで客が増えて、店に入れなくなるかもしれないこと。自分で自分の首絞めるようなものを書いたのかもしれない」

　内田は肩をすくめる。

「写真がすごくいいですねえ」

　窓の外の緑と、室内の壁や家具がつくる陰影がうつくしく、板の目の浮いた素朴なテーブルの上で料理やコーヒーの色合いも味わい深く見えた。珊瑚も由岐も、ほとんど毎日働いている場所でありながら、思わず写真に見とれた。

「文章だって、一生懸命書いたんです」

拗《す》ねたような内田の言葉に、おお、そうでしたか、とばかり雑誌のページに目を落とした由岐が、

「……散歩は私の日課の一つなのですが……」

記事の冒頭を声を出して読み始めると、内田は、ぎゃっと悲鳴を上げ、じゃ、また、明日、と、バッグを持ち、ぴょこんとお辞儀した。そして、あ、コーヒーでも、と、引き留める珊瑚たちの声も聞かずにそそくさと帰って行ってしまった。

「お礼もろくに言えなかった」

「音読されるのがそんなに恥ずかしいのかな」

「どうもそうみたいね」

「でも書いて人に読んでもらうのが商売なのにね。よく分からん心理だなあ。……どれどれ」

由岐は続きを読む。

「……そのいわば鎮守の杜《もり》になんとカフェが出来たのです。最初感じたのは、小さな憤慨と落胆でした。けれどそこでなにやら工事のようなものが始まったとき、あれ？　と思いました。木が、一本も切られなかったのです……いつも閉ざされていた門扉は開け放たれ、細い小道を堂々と歩くことが出来るようになりました。小道は、普通の民家のようなカフェの入口まで続いており、天気の良い日は、鳥のさえずる声が陽の光と共に木々の枝を通して降り注ぐし、雨の降る日は、木々の葉を伝う滴の音が辺りに響いて、

深い森の中にいるようです。この小道に足を踏み入れた時から、すでにカフェ『雪と珊瑚』は始まっているのです」

ゆっくりとクレシェンドで読み上げながら、由岐は満足そうに目を瞑《つむ》った。

「……いいですねえ」

それからまた雑誌のページに戻り、

「……コーヒーや紅茶もおいしいけれど、特色は総菜メニューにあります。野菜がたっぷり使われた……」

内田亜希子は総菜の名についてまでコメントしてくれていた。由岐は、文章を最後まで読むと、心配そうに、

「こんなふうに総菜のこと、紹介してくれたら、ライバル店が偵察に来るんじゃないでしょうか」

「そこまで考えてもしようがないから。お客で来てくれるんなら誰でも歓迎」

珊瑚は力強く言い放つ。以前はこんなにポジティヴではなかった。自分でも、だんだん経営者らしくなってきたような気がする。自分の店の在り方に共鳴してくれる客がつくこと。それが自分に与える力の思いもよらぬ大きさ。

雑誌の効果は驚くほどすぐに現れた。

行列ができる、とまでは行かなかったが、明らかに以前より店内が賑《にぎ》わっている。門

扉前の駐車スペースはたいてい客の車が停まっているようになった。内田亜希子の悲観的予測はほとんど現実のものとなりかけたが、それでも早朝の客は、ランチタイムの客に較べれば、まだ静かだった。リピーターになってくれそうな客もいれば、魔がさしてやってきたとしか思われない場違いなグループもあったが、来店した客の大部分は総菜を買って帰ってくれた。記事の中で内田が褒めた総菜が、いの一番に売り切れ、それを目当てでやってきた客も、もうないと知るとがっかりはするが、すでに買うつもりで来ているので、残っている他の総菜を注文してくれる。「売れ残った総菜でおかずケーキ」という当初の『雪と珊瑚』経営路線は方針を転換せざるをえなくなった。野菜を届けに来た時生が、忙しさを見かねてそのまま店を手伝う、ということもたびたびだった。総菜の量も、以前の倍近く準備しなくてはならなくなった。

「この状態が長く続くんなら、バイトを増やさなくちゃなりません」

疲れ切った顔で、珊瑚はくららにぼやいた。

「ありがたいことなんだけどねえ」

くららは困ったように首をかしげる。

「贅沢《ぜいたく》な悩みなんだろうけど……。もう少ししたら落ち着いて、一度来た客の何人かは繰り返し来てくれる、そういうふうになれば……」

それからしばらくして、今度は他の雑誌からのインタビュー申し込みがきた。「魅力的な庭のあるカフェ特集」なのだそうだ。スタッフの写真入りで紹介したいという。

「どうする？」

電話をとった由岐は、振り向きながら受話器を片手で覆い、テーブルを拭《ふ》いていた珊瑚に概要を説明し、訊《き》いた。突然のことなので戸惑う。けれど、このバブルのような状態がいつまで続くか分からない。無料で宣伝してくれるというのだったら、迷うことではないではないか、と自分に言い聞かせ、由岐に頷《うなず》いて見せる。由岐も頷き返し、電話の向こうの相手に承諾を伝える。

千客万来、という事態を、一番の目標にしていたわけではない。けれど客が来なくなるのは怖い。今はまだ、そういう心配はなさそうだが、いつなんどき客足が途絶えるか分からない。その不安は常にある。仕事があるうち、働けるだけ働いておいた方が少なくとも心のどこかは安心する。

その夜は、時生の代わりに野菜を届けに来た貴行が、これもまた時生のように店のてんてこまいを見かね、結局閉店まで店を手伝うはめになった。恐縮し、労をねぎらってコーヒーを出した珊瑚に、

「ちょっと気の利いた店が一誌に掲載されると、次から次へ他誌も取材に来るよ。そうなるとあっというまに客が押し寄せるようになって、いつ行っても満員。そしてだんだん、あれ？　って言うような味になって、最初はおいしかったんだけどね、って囁《ささや》かれて、遅かれ早かれ客足も引いてしまう。五、六年のうちには店自体消えてしまう。そのうち名前も忘れられる」

ぎゃー、と由岐は両手で頬を押さえ、

「なんですか、それ、怖すぎるじゃないですか。都市伝説ですか」

「実体験だよ。ほんと、そんな店、何軒も見て来た」

だから気を抜かずにがんばれ、ということなのだろうが、珊瑚自身、その「かつてはやされた店が消えていく仕組み」が身にしみて分かる。目の前の注文をいかに手早くこなすかで必死になってしまうのだ。それに否《いや》が応でも意識せざるを得ない、一日の売り上げ。数字というものの魔力は、昨日より今日、と人を駆りたてるものがあることを、珊瑚も感じていた。無自覚でいると、いつのまにか目的が借金返済だけにすり替わって行く怖さ。

「それ、なんだか身につまされます」

貴行は、なんか、外村みたいに脅しちゃったね、と笑った。


けれど一度引き受けた取材は断るわけにはいかない。

「ほんとうは、一日働いて帰ってくる人に、元気を取り戻すような総菜を手渡せる店にしたいんです。そういう時間帯に店を開けていられないのがディレンマです。お客さんが一日ぼうっとしていてもオーケーっていうような、居場所も提供したかったし……」

インタビューの際、珊瑚が雑誌編集者に言った言葉は、ほぼそのまま写真のキャプションとして掲載された。

三日間、休みをとった。初めてのことだったが、このまま流されては自分がおかしくなるような気がしたし、いずれにしろ、貴行や時生たちの農場から送られてくる品だけでは足りなくなっていたので、以前見学に行った佐々のところへ、改めてお願いに行く日帰りの旅も、間に入れた。

佐々の畑は、電車を二時間ほど乗り継いだ、大きな山の麓《ふもと》にあった。

前回行ったときはまだ冬だった。日本海を渡ってきた、シベリアからの季節風が容赦なく山に当たり、千々に飛び散った氷の矢のような冷たい突風が周囲を吹き荒れていた。夕方、四時くらいから全てが凍り始める、と言った奥さんの言葉が忘れられない。凍った表土の下で守られているネギやニンジンは、午前中に収穫を終える。午前中の葉物はまだ凍っている。それでも午後には解凍するので、葉物は午後に収穫する。冷凍と解凍を少しずつ繰り返すと、葉っぱは甘くなる。けれど、それも度を超すと枯れてしまう。二日ぐらいなら大丈夫。畑に立つと、自分の体の芯《しん》まで氷結しそうになる。「凍っても、全部死なない程度に凍ろう」と、葉っぱと自分に言い聞かせる、と。

そういう、ぎりぎりのところで活路を見出《みいだ》す知恵や姿勢に、もう一度触れたかった。

あのときから半年以上たって、今はもう夏の終わりだ。前のときは一人だったが、今回は由岐と雪もいっしょだ。

「私、畑に来ること自体、初めて。貴行さんのとこも行ったことないし」

「あれ、そうだっけ」

「そう」

通勤通学の時間帯を外れていたこともあって、向かい合わせの座席に座れた。途中で入れ替わり立ち替わり、前に座る人がみな中年以上の年齢だったせいか、雪に笑いかけてくれ、さりげなくあやそうとしてくれた。そのことも珊瑚にはほのぼのと嬉《うれ》しいことだった。ほんのちょっとした笑顔がうれしい。

子どもを持つと、世界が善意にあふれている、と感じる瞬間と、一人のとき以上に心細くなる瞬間とがある。あの人も、そういうことを感じたことがあっただろうか、と、ストレートの長い髪を思い出す。

電車を降り、簡素な改札を抜け、駅前の小さなロータリーでちょうどドアが開いていたバスに乗った。三人だったので、一番後ろの席に座った。乗客は、自分たちのほか、数人しかいなかった。三人が腰を落ち着けるのを待っていたようにバスが動き出した。

道は、昔の街道筋に当たるものらしい。古い道標が目的地までの距離を教えている。建物のたたずまいも、時代のサイクルから外れたような懐かしさがあった。

「庭の花なんかも、ちょっと違うね。くららさんが見たら、懐かしがるんだろうね」

「ああ、ほんと、ほんと」

駅前から続く、ささやかな商店街や住宅地を抜け、バスは農村部に入って行く。もう初秋と言ってもいい頃なのだが、空の景色はまだ夏のもので、これから発達しそうな元気のいい積雲がいくつも湧いている。あちこちに道祖神が立ち、その風景もまた、これが古い道なのだということを印象付けていた。

ずっとずっと、気の遠くなるくらい昔から、人はこうやって畑を耕し、子どもを育ててきたのだ。そして場所と場所を行き来してきた。珊瑚はそのことを思い、座席に立って窓の外を眺めている雪の後頭部に自分の顔をすり寄せた。

四《よ》つ辻《つじ》のバス停で降りると、そこから山手の方へ向かった。道には緩やかな傾斜がついている。建物はちらほらあるが、人家ではなく、使われていない農作業小屋のようだった。四つ辻にあったそれには、ブリキ製の古い看板がかかっているようだったが、小屋全体が葛《くず》の葉に覆い尽くされているので、そもそも何を宣伝しようとしていたものか分からなかった。

「ピクニックみたいだ」

由岐は道端のカラスムギの穂で、雪の手をくすぐり、コバンソウを揺らして見せると、雪は手を伸ばしてそれを奪い取った。最初は雪の歩調に合わせていたが、日が暮れてしまいそうなので、抱き上げて歩く。雪は由岐から奪ったコバンソウで、珊瑚の顔にいたずらし、珊瑚がわざと悲鳴を上げると面白がって笑った。

雪とこんなにゆっくり向かい合うのも久しぶりなのだった。

左に折れる小道に入ると、すぐに畑の中で作業している佐々夫婦に会った。

「こんにちは。お久しぶりです」

「こんにちは。もうそろそろかなあ、なんて話してた」

「ああ、かわいい。雪ちゃんね。初めまして」

見つめられ、雪は心持ち身を硬くしたが、泣き出しはしなかった。まだまだ無愛想とは言え、以前よりは遥《はる》かに「社交的」になっていた。よしよし上出来、と珊瑚は次に視線を由岐に振った。

「そしてこっちが、大人ユキ、いっしょに働いてくれている由岐さんです」

「初めまして」

「ようこそ」

由岐がぺこんと頭を下げると、佐々夫人は農作業に従事しているとは思えない色白の顔で笑顔をつくった。ひとしきり、初めての挨拶《あいさつ》が終わると、珊瑚は雪を地面に下ろした。

「あ、上手にあんよするんだね」

褒められているのが分かるらしく、雪は茄子《なす》の畝と畝の間を勢いよく歩き出した。

「こういうとこ、歩くのが面白いのかも。コースみたいで」

珊瑚は解説しながら、大急ぎで雪を追いかけようとする。

「ああ、好きなだけ歩かせてあげて。最後まで行ったらターンして隣の畝の列からこっちに帰ってくると思うわ」

佐々夫人の予想通り、端まで行きつくと、雪は自動操縦のおもちゃのように隣のコースに移り、こちらに向かって歩き出した。思わず皆の間に笑いがこぼれた。お茶でも、という佐々に、いいえ、ここでお手伝いしながらお話聞かせてください、と珊瑚は申し出た。佐々夫人は、ちょっと、待ってて、と自宅と思《おぼ》しき建物の方へ向かった。佐々は、じゃあ、来たそうそう、なんだけど、と、二人に鋏《はさみ》を渡し、大体、このくらいの大きさの茄子を、この辺りで切って、と実際にデモンストレーションして見せた。佐々夫婦は茄子の収穫をしていたところなのだった。珊瑚たちもそれに倣った。茄子は艶《つや》つやとうつくしく、手に取るとぽってりとした重みがいとおしかった。こんなに大切に育てられた野菜なのだ。大切に料理しないでどうしよう。雪が近くまでやって来て、摘みとった茄子に触っている。

「ああ、だめよ、雪」

「いいよ、触るくらい。農薬もついていないし」

「すみません」

雪は、へたの部分を握ろうとして、慌てて手を放す。そして眉間《みけん》に皺《しわ》を寄せ、難しい顔をして茄子を見つめている。

「あちっ、だろう、雪ちゃん。とげとげがついてるからね。でも、こっちはすべすべ」

佐々が雪の手をとって、茄子の表皮に滑らせる。

山の方で、トビが鳴く声が聞こえる。一畝ほど摘みとったところで、佐々夫人の呼ぶ声がした。

「御苦労さま。お茶、どうぞ」

縁先の椅子に、皆で座り、冷えた麦茶を口にした。

「ああ、おいしい」

「生き返るよう」

由岐が目を閉じる。それから辺りを見回し、

「でもほんと、きれいな畑ですねえ。珊瑚さんから、貴行さんたちの畑は雑草だらけって聞いていたから、無農薬でやってるとこって、なんとなくみんなそんな感じなのかと思っていました」

「そうだね、冬だと雑草があった方が、温度がある程度保てるだろうね」

佐々夫人が、

「それから、表土も流れない」

「じゃあ、雑草があった方がかえっていいってことですか」

「うーん。いろんな考えの人がいるからね。貴行君たちはそうなんだろうね。雑草だらけのところでもいいけど、でも、結局収量は落ちるし、養分は吸うし、雑草に産みつけられた虫の卵から、虫が野菜に移ってきたりする。雑草が虫を育《はぐく》むとも言える」

「ヨトウムシ」

佐々夫人が困ったように顔をしかめた。

「今、ちょっとだけ一段落、って感じだけど、ほんと、どんなにネットをかけても、ネットをくぐって卵を産むんじゃないかって思うくらい、すごい繁殖力なの。ほとんどなんでも食べちゃう」

「家の中まで入って来て、ドアノブからドア、壁にかけてたハンガー、帽子に至るまで、卵産みつけちゃう」

「すごい」

「でも、有機農法なら虫食いでも当たり前、って、開き直って虫食いだらけのいびつなものを売るのも違うと思うのね」

「私、有機農法ってそんなイメージ持ってました」

「私たち、道の駅とかに、一般の農家の人がつくったものと一緒に並べてもらうでしょ。そのときに、あんまり見栄えが悪いとみっともないじゃない。どこまで、自分に許すか。出荷するときの線引き、ってことをいつも考えるわ。ここの野菜として出荷して、耐えられるうつくしさかどうか、これ以下はだめ、っていう線」

　佐々夫人はため息をつく。これは貴行が以前言っていたことと、全くいっしょだ、と珊瑚は思う。

「でないと、それって、いつでも簡単に、安易な方に流れがちになるのよね」

「分かるような気がします」

　珊瑚は真面目な顔で頷《うなず》いた。佐々は、

「今は網目の細かいネットがかけられるし、資材がいいから、昔よりは大分いいんだと思うよ。それでも、暑い時期の草取りなんか、やっぱり大変だ。端から抜き始めて、最後まで来て、初めにやったとこ見たら、もう次の草が生え始めてる。もう、ほんとうに、果てしない作業だ。でもね、ただ黙々とやっていたら、いつかは終わる」

「……いつかは、終わる」

「仕事って、結局そういうものじゃないかな」


その日は、佐々の畑で収穫された野菜を週に二回、宅配便で送ってもらう約束を取り付け、夕食までごちそうになって帰ってきた。

「貴行さんたちが、あのご夫婦を尊敬するの、分かるような気がする」

「でしょ」

電車の中で、二人、頷きあった。一日走り回った雪は、水をたっぷり吸い上げたバスタオルのようにぐっすりと寝ていた。

車窓の向こうには、明かりのない闇が山の形に浮かんでいる。由岐がぽつんと、

「今日の茄子、おいしかったね」

「おいしかったねえ。キュウリもおいしかった」

「これから楽しみだね。茄子、どういう料理にする？　味噌《みそ》炒《いた》めだけじゃ追っ付かないよ」

「茄子はチーズとも合うんだよ。くららさんの受け売りだけど」

「へえ」

「茄子はチーズ、ジャガイモはバター、なんだって。これから寒くなってきたら、葉ものもおいしいよ。どんな不幸の真っ最中にあったとしても、佐々さんのところの、冬のホウレンソウ食べたら、うわ、何これ、おいしい、って思うと思うよ」

「へえ」

　由岐の目が光っている。

「貴行さんとこのホウレンソウはクリーム煮オーケーだけど、佐々さんとこのは絶対お浸しだね。芯《しん》から甘いんだ。歯ごたえもあるけど固くない。繊維がほどけていくように」

「うわ。聞いてるだけで食べたくなる」

「姿形は、ちょっと縮こまってるんだよ、冬のだからね。でもうまみが凝縮されてる。根元の赤みのあるとこから洗って土を落とす。それを沸騰したお湯に根元から入れたらすぐに火を止める。煮立てない」

「へえ。それでアクが取れる？」

「取れる取れる。菜箸《さいばし》でかき回して、ちょっとしなってなったかな、くらいの頃――ほんの十秒かそこら――もうお湯には色がついてる。よしよしアクが移ったな、と思ったらすぐに冷水にとる。ここで緑が鮮やかなんだよね、ほんとに。ちょっと絞って適当に切って、あらかじめ用意していた出し醤油《じょうゆ》に浸《つ》ける」

「おいしそう」

「おいしいよ」

「楽しみだ」

「楽しみだね」

車窓の向こうに、どんどん明かりが増えてくる。

「夫婦で働くって、どんな感じかなあ」

窓の外を見ながら由岐が言った。

「うーん。絆《きずな》は深まるんじゃないかな。でも、けんかしたら逃げ場がないね」

「けんかしてたら仕事にならないんだから、いつのまにか仲直りしてるのかもね。それとも最初からけんかなんかしないのかな」

「やりたいことっていうのが夫婦それぞれにしっかりあって、しかもそれが一致してるってすごいことだよね。私、今までそういう夫婦に会ったことがなかったから——あ、『たぬきばやし』の桜井さんたちも職場が同じの共働きみたいなものだったけど、なんていうのかな、理想？　に向かって邁進《まいしん》する、っていうのとは違ったでしょう」

「うらやましい？」

「うーん、うらやましいっていうか」

珊瑚は両手を前に伸ばして膝《ひざ》の上の雪の頭が落ちないように体をそらせた。

「見当もつかない。いや、つかなかった」

「じゃあ、もう見当がついたんだ」

「え？」

「パートナーといっしょに理想に邁進する」

由岐は雪の頭をそっと支えながら訊《き》いた。

「うーん。なんか、今は、それどころじゃない」

由岐は噴き出した。

「それもそうだね。珊瑚さん、それに、今、周り、パートナーだらけでしょう」

「え？」

思いもかけない言葉だったので、珊瑚は思わずきょとんとした。自分の気持ちとしては孤軍奮闘していたのに、確かに言われてみれば、親身に自分のことを考えてくれる人がいつのまにか周囲に一人ならずいる。

「私がうらやましいのは、佐々さんよりむしろ珊瑚さんかな」

由岐は窓の外を見ながら呟《つぶや》いた。珊瑚は、さらに呆然《ぼうぜん》として、何も答えられなかった。あまりにも意外だったので、このときはその由岐の言葉について深く考えることもなかった。

休日明けの開店日は——といっても、前日から仕込みは始まっているのだが——いつもより元気だと、自分でも思った。これがリフレッシュ効果というものか、と思いながら珊瑚は午前、午後を通してコマネズミのように働き、そろそろ看板にクローズドの札をかけようかと思い始めた頃、入ってきた客があった。泰司だった。由岐が珊瑚の方を見る。泰司は言い訳するように、

「夕食、まだなんだ」

だから、何？　と思うが、

「お食事でしたら、総菜を三種、選んでディナーを組んで下さい」

メニューを渡しながら、

「あちらの実物を見てお決めになりますか」

素直にショーケースの方へ移動して、どれにしようか真剣に迷っているらしい様子を見ると、迂闊《うかつ》にも珊瑚はつい微笑みそうになる。残っている総菜の中から厳選したらしい三品の名を告げ、最後に泰司は、

「雑誌、見たよ。写真がついてるんですぐ分かった」

と、照れ臭そうな、眩《まぶ》しそうな顔つきで珊瑚に笑いかけた。

「『一日働いて帰ってくる人に、元気を取り戻すような総菜を手渡したい』って言ってただろ、オレじゃん、って思って」

目が点になる、という形容は、こういうときのためか、と、珊瑚は思った。

「……はあ」

そう言って、気を取り直した。奥へ引っ込み、由岐と二人で手早く注文の品のセッティングをする。トレイに載せてテーブルに運ぶと、泰司は、

「立地がどうの、ってぐちっていただろう、だったらさ、駅に直接出店をつくればいいのに」

「出店って……」

「改札出たとこ辺りで、よくワゴン販売していることがあるだろう、あんなの。売り上げの何パーセントかを払えばいいんだって、聞いたことあるよ」

思わず由岐と二人、顔を見合わせた。

そのとき入口で、聞き慣れたもの音がし、野菜の入った段ボールを持って、時生が入ってきた。振り向いた珊瑚は、挨拶《あいさつ》代わりに頷《うなず》いて微笑む。珊瑚が挨拶した対象を、泰司はちらりと確認する。珊瑚は泰司のテーブルを離れて、時生の後に続き、厨房《ちゅうぼう》に戻る。


具体的な場所はともかく、駅に出店するというアイディアは、「疲れ果てた勤め人」相手の商売としてはなるほどと思えた。けれど、そのためにはもう一人、いや、もしかして二人以上雇わないといけないかもしれない。夜十時以降総菜を売りに出すためには、店でのディナーの時間帯に、そのための総菜をつくるという作業を入れなければならない。しかも珊瑚自身がそのワゴンの脇に立つことは難しい。それができるくらいだったら、『雪と珊瑚』の閉店時間をもっと遅くしている。

「だからさ、要は夜十時以降のバイトの確保ってことでしょう。それなら、『壁塗り』の男の子たちでもやるかもしれないよ。容器に入ったおかずだったら、お金のやり取りだけで、別に食べもの扱うスキルはいらないし」

バイト代と場所代、あとは什器《じゅうき》の問題。ワゴン本体をどこから調達するか。

「ここで売るより、若干高くせざるを得ないねえ」

「でも、買う方にも、ここまでこなくていい、っていうメリットもあるから」

けれどそれは『雪と珊瑚』製品内部の比較の問題で、例えば深夜にスーパーやコンビニで売ることを目的につくられた総菜には、価格の面で太刀打ちできないだろう。珊瑚がそう言うと、

「客は安さだけで買うんじゃないよ、やってみようよ、とにかく」

一応デメリットを述べてみたものの、実は珊瑚もやってみたいと思っている。

「じゃあ、駅に連絡しようか」

由岐は当然のように、「たぬきばやし」に近い、『雪と珊瑚』からも最寄りの五房《ごぼう》駅を考えていたようだったが、珊瑚はそこから二つ離れた木野《きの》駅の名を挙げた。理由として、

「大き過ぎず小さ過ぎず。住宅地が近いから」

「それだったら、ここも同じじゃない。運ぶ手間を考えたら、こっちの方がずっと便利よ。それに店に近い方が、まだしも、知名度があるだろうから、あ、あそこの店のだ、って買ってくれるだろうし」

「うーん。それはそうなんだろうけど……」

珊瑚は言い淀《よど》む。

「何か、あそこにした方がいいと思う直感みたいなものがあるの？」

「私、小さいときから住んでいた場所があの辺りで、駅と言ったら自分の中では木野駅なのね……そういうことなのかなあ」

言いながら、我ながらセンティメンタルな理由だと思う。

「こんなこと、ビジネスの場では通用しない、って分かってるけど……」

由岐はちょっと目を閉じて、それから決心したように、うん、と頷き、

「分かった。珊瑚さんの店なんだもん、木野駅にしよう。その、『何かよく分からないけど、あそこじゃなきゃ』っていう感じ、すごく大事だと思う。そういうの、珊瑚さんのエネルギーの源のような気がする」


由岐もせっかくそう言ってくれ、珊瑚の中にも新しいプロジェクトに対する覚悟のようなものが育ちつつあったのに、結局それは、保健所に営業許可を申請しようという段階で挫折《ざせつ》することになった。商品が、焼き菓子などのように、加熱して、乾燥しているものであれば問題がないのだが、総菜の類はまず却下されてしまうらしかった。

木野駅。

もう滅多に立ち寄ることのない場所なのに、なぜあんなに固執したのだろう。

我がことながら、珊瑚は不思議に思う。

『たぬきばやし』の前を通ったら、和菓子屋になってた」

その数日後、由岐が出勤早々、叫ぶようにそう言うので、珊瑚もつい、

「えーっ」

と、叫び返した。最近は店とくららの家とアパートとの行き来だけで、「たぬきばやし」の方まで足を延ばす機会がない。

「桜井さんたち、あそこ、売ったのかなあ」

「貸してるんだとしたら、午後十時以降、『雪と珊瑚』にも貸してくれないかなあ、和菓子屋、いくらなんでも閉まってるでしょ。せめて軒先だけでも」

由岐はいたずらっぽく言う。

「ああ……なるほど」

木野駅ではないけれど、駅前であることには変わりないし、珊瑚の木野駅へのセンティメンタルな固執さえなければ、むしろベストの案なのだろう。珊瑚が重々しく、

「……ニュージーランドに、手紙書いてみる？」

と言うと由岐は、

「電話でいいじゃない。きょう日、国際電話っていったって、そんなにお金はかかんないよ。確か、雅美さんの携帯、外国でも使えるようにしてるって言ってたよ。じゃ、か

けるからね」

あっというまに自分の携帯から以前登録していたらしい雅美さんの番号を呼び出して、店の電話からかけ始めた。アルバイトの時間の変更や遅刻の説明などで、しょっちゅう雅美さんに電話をかけていた時代があったのだろう。けれど、繋《つな》がらなかったらしい。しばらくして受話器に話しかける口調が、平板だった。

「雅美さん、お久しぶりです、由岐です。お元気ですか。え、と、ちょっと、お話ししたいことがあって電話しました。また、かけてみますね」

留守電だった、と、珊瑚の方を見て肩をすくめた。


泰司はあれから、閉店間際にやってくることが多くなった。いっそのこと、くららの家まで連れて行って、雪に会わせようかとも思うが、泰司は雪に会うことには躊躇《ためら》いがあるらしかった。父親が娘に会いたがらない、ということに、珊瑚は実は自分でも意外なほど悲しんでいるのに気づいていた。普通は、離婚した相手に子どもを会わせたがらないのが女親の取りがちな態度だと、様々なところで聞くにつけ、自分はおかしいのかと思う。けれど、そもそも自分の育ちの何もかもが「普通」ではないのだから、「普通」の心情になりえないのが「普通」だろう、とも思う。

「その辺は、いい加減な男だよ、確かに泰司は」

那美は、珊瑚の持ち帰った総菜を食べながらコメントした。丸二日かかったお産がようやく終わった今日の夕方、珊瑚に電話して注文したものだ。那美には那美の、けじめがあって、最初に宣言した通り、注文してテイクアウトしてもらった分は、料金を払っている。珊瑚も新しい料理の試作品を持ち帰り、忌憚《きたん》のない意見を聞かせてもらっている。

「で、どうなの、やっていけそう？」

那美は相変わらず目の下に隈《くま》をつくって、疲れ果てた顔をしながら訊《き》いた。訊いてすぐ、茄子《なす》の牛ひき肉とチーズ、青ジソのはさみ揚げと格闘する。うん、これは揚げた後、一口大に切ってあげた方が親切だね、とアドバイスも怠りない。ふんふん、と珊瑚はメモをとった後、

「今まで、ほとんど赤字か赤字すれすれだったのが、雑誌に取り上げてもらえるようになってから、ちょっと息がつけるようになった、ってとこかな。経営は、まだまだ大変。お金返していかないといけないから。でも、扱っているのが食べ物だから、毎日何とか食べてはいけてる。今のところは」

そのとき、珊瑚の携帯電話が鳴った。

「あれ。携帯、買ったんだ、とうとう」

「うん、とうとう。ちょっと、ごめんね」

「かまわないよ、食べてるから」

由岐からだった。

「もしもし」

「あ、おそくにごめん、ちょっといい？」

「うん、いいよ、何？」

さっき別れたばかりの由岐が電話してくるなんて、いったいなんだろう、と珊瑚は少し緊張した。由岐の声が低い。

「あのね、桜井さん、亡くなったんだって」

「え？」

すぐには意味がとれない。

「……亡くなったって……」

「ニュージーランドに行って、二ヵ月ほどしてから、だって」

「……雅美さんは、今、どこ？」

「まだ、ニュージーランドだって。なんか、あのこと、言い出せなくて……」

「いいよ、当たり前だよ。教えてくれてありがとう、また明日、このこと、話そう」

そう言って切った。どうしたの、と訊く那美に、うん、と言ってしばらく黙った後、

「『たぬきばやし』のご主人、桜井さん、亡くなったんだって」

「えー。なんで？」

那美も食事の手を止めた。

「分かんない。今思えば、確かに体調が悪そうだった、と思う」

「そうか」

那美は箸《はし》を置いた。それから合掌して、

「私はたまに店に行ったとき、会うか会わないか、っていうくらいの知り合いだったけど、珊瑚にとっては、大事な人だよね」

「うん、お世話になったんだ。雪が生まれたとき、たった一人――雅美さんと夫婦で、だけど――お祝いをくれた人」

そう口に出して言うと、突然、涙がこぼれた。

16

珊瑚は祖父母も知らず、ましてや老いた親戚《しんせき》などというものにも会ったことがなく、だから身近な人間の死というものに接したのはこれが初めてだった。そのダメージを、自分の中でどう見積もっていいものか分からない。以前の雇い主というだけで、今は関係ないといえばそうなのだ。

「たった一人、っていうのはないんじゃない。私だって、言いたかないけど……」

珊瑚の突然の涙に、一瞬目を伏せた那美だったが、やがてゆっくり、抗議というでもなく、むしろ慰めるように珊瑚に語りかけた。

もちろん、そうなのだ。雪の出産に際して、那美ほど親身になって手伝ってくれた人間はいない。肝心の「お産婆さん」になってくれたのを始めとして、自分の専門性をフルに発揮して、いわく「産後の珊瑚」をケアしてくれた。知り合ったのは雪が生まれる前だったが、出産という、珊瑚にとっては決死の覚悟の「事件」をいっしょにくぐり抜けてくれたことで、那美は特別な存在になった。今では自分の親にさえ感じたことのない親密な気持ちを那美には持っている。これも雪がいなくては考えられなかった展開だった。

「那美は、言ったら、まあ、家族みたいなもんだよ。けど、桜井さんとは、雇い主と雇い人の契約関係で、まあ、他人だ。でも、ほんとによくしてくれた他人なんだ。向こうも私を、まだまだ一人前じゃないけど、ちゃんとした、社会人みたいに、熨斗《のし》袋に、『出産祝い』って書いて渡してくれた」

「……熨斗袋が琴線にふれたか」

「熨斗袋が欲しいってことじゃないんだよ」

「分かるよ、分かるよ、なんとなく、だけど」

「世間並みに扱ってくれたってことかな。でもだからって、世間並み、になりたいわけじゃないし、そういうのが好きなわけでもないいんだよ」

「分かるよ」

「変だね」

「そうだね」

寝ている雪が、寝返りを打った。珊瑚は手を伸ばし、雪の背中を軽くよしよしとたたく。那美はそれを見ながら、

「雪も大きくなったね。覚えてる？　最初、うつ伏せから顔を上げられるようになった、ってだけで二人で大騒ぎしたの」

「覚えてる覚えてる」

寝たきりの状態のまま、体の移動もままならない新生児の頃から見ていると、一つ一つの何気ない動作——腕を頭まで伸ばす、指で何かをつかむ、等々——を獲得することが、どんなに劇的で画期的なことなのか分かる。文字通り世界が広がっていくのが分かる。

「これからいろんなこと、覚えて行くよ、鉄棒とかさ」

「うそみたいだね」

「でもそうなんだよ。そういえば、こないだ、私、同僚と病院の近くの公園通ったとき、ふっと鉄棒が目に入って、なんとなくやってみたくなって、まあ、やったんだけど、なんとびっくり、逆上がりできなくなってた。ショック」

「私もできない、きっと」

「これからさ、できないことがどんどん多くなってくるらしいよ、覚悟しておいた方が

いい」

「いやいや、まだまだ」

「でも珊瑚、たしかに、涙もろくはなってるよ。桜井さんの場合は、仕方ないにしても」

「そうだね、それは思う」

「疲れてるんじゃない？　働き過ぎだよ」

「人のこと言えないよ、那美」

「赤ん坊はこっちの都合なんかお構いなく生まれてくるからね。医者の都合に合わせて生まれてもらうケースも、まあ、あるっちゃあるけど、基本的には向こうの都合優先だから。でも、珊瑚はなんとか工夫できるんじゃない？」

「今日、由岐さんがバイト募集の貼り紙を書いた」

「そうなんだ。ちゃんと貼った？」

「貼った」

「どこに」

「看板の下と、玄関のとこ」

「よし。いい人が来たらいいね」

「どきどきしてるよ」

郊外の駅周辺再開発で、新しい駅ビルを建てるのだという。雑誌に載った珊瑚の言葉が、たまたまそれを読んだ駅ビル会社の担当者に響いたらしい。ご相談に伺いたいのだが、という電話が来たので、閉店後、店で会うことになった。二十代後半か、三十代前半かと思われる、きちんとスーツを着こなした女性と、四十前後と見られる男性が二人で訪れた。由岐にも同席してもらった。二人は——特に女性の方は、店の雰囲気を褒め、こういうものをそのまま、ということは残念ながらできないのだが、それでも、ご希望の、帰宅前の通勤客に向けて総菜を売る、ということは、駅ビルでなら可能です、と切り出した。

「施設側——つまり私たちですが——基本設備を備えた売り場を準備します。シンクや手洗い、ショーケースもあります。それ以外に必要な什器《じゅうき》や販売員、それにもちろん、肝心の商品は、そちらで準備していただかなくてはなりません。正式な契約のときに改めて言いますが、売り上げの二十五パーセントはこちらでいただきます。いかがでしょうか」

売り上げから二十五パーセント引かれる、つまり売り上げの四分の三しか手元に残らない、というのははっきり言って厳しい。けれど、あらかじめ払わないといけない家賃がそこに含まれているというのなら、かえって堅実な道ではないだろうか。収入が少なくて家賃が払えない、という事態は、少なくとも起こらないのだから。問題は、はたして施設側と『雪と珊瑚』側、双方にやっていけるだけの売り上げが見込めるかということだ。珊瑚の方はともかく、ビル側は福祉事業ではないのだから、テナント収入の少ない期間が長く続いたら、すぐに撤退を申し入れてくるのではないか。そういう不安を、珊瑚が口にすると、

「安心できる食材で、心を込めてつくった料理。今、これほど求められているものがあるでしょうか。ニーズはあります。正直申し上げて、次から次へと展開できる可能性を持ったプロジェクトだと思っています」

　由岐が隣で、

「次から次、って、駅から駅、ってことですよね」

「そうです」

「珊瑚さんの夢じゃない？」

　そっと囁《ささや》いた。珊瑚は微笑んだが、

「いつまでにお返事しなければならないでしょうか」

「できたら、今週末までに」

「理想的な話のようにも思えます。けれど、もう少し考えさせて下さい」

　二人は鷹揚《おうよう》に頷《うなず》き、

「もちろんです。大きな契約ですから、慎重になさってください」

　と、にこやかに帰っていった。

　どういう条件であっても即答せずに、貴行たち仕入れ先側の意見も聞いて考えよう、

と、あらかじめ由岐と話し合っていた。翌日の夜、閉店後くららの家に貴行たちもやって来て、彼らの申し出について皆で意見を交わした。意外なことにくららは乗り気だった。

「これは運命のような気がしますね。こういうふうにして、人の世の役に立っていく道もあったのね」

また「お計らい」を口にしそうな叔母《おば》の昂揚《こうよう》ぶりを横目で見ながら、

「こういう規模で、いつまでもやっていく、っていうのがほんとうは一番難しいんだよ。だんだんやっていけなくなって店を畳むか、フランチャイズ化して、あちこちに支店を出して大きくしていくか、どっちか両極端になっちゃう。どんどん増やしていく、っていうのは、コツをつかんで勢いに乗ればそれほど難しいことじゃない。ただそうなると、どうしたって質が犠牲になる。僕たちや佐々さんのとこの野菜だけではとてもおっつかなくなる。どっかで妥協しなくちゃならなくなる」

貴行は慎重だった。

「あなた方のやり方が実は時代の求めるものであって、利益も上がるんだ、ってことがわかったら、同じような農業を始める人も増えてきて、仕入れ先も多くなるんじゃないかしらねえ」

「そんな簡単なもんじゃないよ」

「いや、真実というものはいつの世もシンプルなものなのではないでしょうか」

由岐もくらら派かと思いきや、すぐに、

「うーん、でも、たしかにどう転ぶか予想もつかないスリルがありますね」

と、及び腰になる。

「やっぱり珊瑚さんが決めることだよ、これは」

時生がきっぱり言い切る。

「ご意見、参考にさせていただいております」

珊瑚は恐る恐る口を開く。

「今週末までに、考えます」

「そう言えば、貼り紙で募集していたバイト、来た？」

時生の言葉に、珊瑚は由岐と顔を見合わせながら、

「今のところ二人。最初の人が時間帯とか合わなくて、二人目の人が今週末から入ってくれます」

「どんな人？　お客で来てた人？」

「店にまで下りてきたことはなかったみたい。表の看板の貼り紙でやってきた女の子で……」

「今までバイトの経験がないっていうのが、ちょっと不安と言えば不安」

由岐が付け足した。

「でも、名前が沙羅《さら》ちゃんっていうんです」

「あらかわいい」

「ねえ」

珊瑚はできるだけポジティヴに持っていきたい。

「それで当座はなんとか凌《しの》げると思うんですけど、もちろん駅ビル進出となったら、話は全く違ってくる……」

くららは頷きながら、

「けしかけるようなことを言ってしまったかもしれませんが、たしかに今は若いからやっていけているのよ。いつまでも今みたいにがむしゃらに働ける、っていうものではありません」

「どっちなんだい」

貴行が呆《あき》れた声を出す。

「どっちも本当の気持ち。参考にはならないかもしれないけど」

「いえ、なってます、なってます」

貴行の言うように、店の規模を小さいままに保ち、雪といっしょにいられる時間の方を多くとっていく、という方向が望ましいのは分かっているし、珊瑚自身もそうしたいと思っている。だが、明日の保証が何もない出来高勝負の毎日では、収入が先細っていくのが何より怖い。雪を育てないといけない。店を始める前の理想が、目の前の恐怖に揺らいでいる。一人なら我慢できる飢えも、子どもがいると話は別だ。大抵のことならやるだろう。けれど、それでもできないいくつかのことがある。今回のことは、それに入るのかどうか。

皆、それぞれ思案にくれるなか、くららはお茶を淹《い》れ替えながら、

「こんなときになんだけど、私、店の二階で託児所のようなこと、させてもらえたらって思ったりしてるんです。雪ちゃんと二人で。子育て中の母親が、ゆっくりお茶を飲めるように」

「ほんとうに『こんなときになんん』だなあ」

このところ巷《ちまた》では、子育て中の母親がノイローゼになり、心中を図ったり虐待により子どもを死にいたらしめたり、という事件が数件続けてニュースになっていた。くららもそのことを話題にしては顔を曇らせていたのだった。脈絡もないことを、と貴行はますます呆れ顔をしていたが、あれがこういう風につながったのか、と珊瑚には思い当たり、駅の件は思わず棚上げにしてそのことに思いを巡らした。

子どもを産むということが、ときに生死に関わるほどのダメージを母体に与えるのと同じように、子どもを育てるということも、長いスパンで、ときに母親自身の存在を揺るがすほどのすさまじい影響力を持つものなのだろう。私は雪を産んで、人生が変わった、と珊瑚は自覚していた。自分の主義主張、生き方まで変えるほど、なりふり構わずに人と交わっていかなければ、子どもは育てられない。そのことを自分が潔しと思っているかどうかは別にして。まさか自分がこんな場で、人に意見を求めたり談笑したりす

るようになろうとは、思いもしなかった。子どもを虐待するようになった親も、きっとそうだろう。そういう自分自身を根底から変えるようなとんでもないエネルギーが、彼女たちの上にかかったのだ。もしくは彼女たちから引き出されたのだ。珊瑚は彼女らが自分と遠い存在には思えなかった。

くららは、

「それで全てのケースの問題が解決するわけではないけれど、もちろん」

「どんな子が来るか分かりませんよ。とんでもないやんちゃ坊主だったりしたら、くららさん、疲れ果てますよ。怪我させたら責任問題だし」

由岐は脅すように言い、

「それに、表立って子どもを預かるとなったら、保育士の資格がどうの、とうるさいこと言われるかもしれないし」

「……農閑期に入ったら、やってもいいですよ、おれ」

時生が、ちょっと躊躇《ためら》いつつ横合いから口を出す。

皆、顔を見合わせる。

「時生さん、保育士の免許、もってたんだ」

「ぴったし」

「でも、虐待する人は、そもそもこんなとこ来る余裕なんかないんじゃないかな」

「虐待なんて、でも珊瑚さん、分かんないでしょ、そんなことする人の心理」

「うーん。どうかな」

え？　と、由岐と時生が珊瑚を見つめる。珊瑚はゆっくりと、

「雪に、じゃなくてね」

ますます不審がられる。しょうがない。

「される方、私がね。暴力は、まあ、なかったけど、ほとんど母親から無視されてた」

事情を知っているくららは微笑んでいる。が、何も言わない。

「無視って？」

「いつも一人だった。食べるものもなくって」

食べるものがない、という表現が、誇張された冗談なのか、あるにはあったが自分の嗜好《しこう》を考えてもらったものではなかった、ということなのか、それともほんとうに「なかった」のか分からず、由岐も時生も一瞬黙った。だがそれを本人が「虐待」の一種だと考えていたとしたら、その中では一番深刻な「なかった」ということなのだろう、やはり、という結論に、二人ともほぼ同時に至ったのか、

「……それが、こういう店をつくる原動力になってる？」

と、由岐が訊《き》いたときは、時生も自分が発した質問のように珊瑚を見つめた。

「かもしれない。ほら、前に肉じゃがをメニューに入れるかどうかって話があったでしょ。肉じゃがが家庭の味で元気が出るとかなんとか。あれ、私、実を言うと全然分からなかった」

しばらく誰も何も言わなかった。そして、はぁー、と、由岐が首を振ってため息をついた。

「そうかあ。なんか、やっと腑《ふ》に落ちた」

「なにが？」

「まあ、いろいろ」

何が腑に落ちたのか。私は未《いま》だに母親のことは何も「腑に」落ちていない、と珊瑚は思った。

たとえば、自分自身虐待された過去を持ち、それを娘にも繰り返しそうで、ことさら我が子を遠ざけた。あるいは付き合っている男が娘に性的干渉をするかもしれないという怖れから、男と共に遠ざかった。もしくは接触すれば、感染させるかもしれない不治の病を持っていた……。

納得できる理由なら、さまざま可能性を考えてきた。考え尽くした、と言っていいだろう。母親は自分をほんとうは愛していた、が、そう出来なかったのには理由があった、と思いたい。しかしその思いつく理由のどれもこれも、確かさを求めて検証すると、ほころびがいくつも見つかるのだ。ほんとうに「愛して」いたのなら、なぜ、娘が少なくとも食べていけるように算段しない？　そして結論はいつも一つ。母は自分を愛していなかった。自分は母親から愛されていなかった。けれどそんなことがなんだというのだ。周囲に人がいるにもかかわらず、珊瑚が思わずいつもの思考パターンに陥りかけている

と、場の雰囲気を変えようとしたのか、貴行が息を一つ吐いて、

「人間なんてみんな、病理が物質化したみたいなもんだから、いたわり合い、助け合って生きていくしかないんだよ」

「貴行さんもどこかおかしいって自覚があるんですか」

「僕？　おかしいとこだらけじゃないか。見てたら分かるだろう」

「ここで、『そうですね』、なんて言ったら、またくちゃくちゃ怒るくせに」

時生が醒《さ》めた声でそう言い、皆が噴き出し、珊瑚までつられて笑った。

17

新しく入ったアルバイトの沙羅と由岐の間が、どうもうまく行かない。飲食店で働いた経験のない沙羅は、接客もレジも厨房《ちゅうぼう》も何もかもが初体験である。応対も必要以上に丁寧だったり――そのこと自体は悪いことではないのだが――、かと思えばぞんざいだったり、注文の聞き間違い、厨房での手順の悪さ、初めてなのだから、と最初は由岐も大目に見、辛抱強く根気よく教えていたが、

「働き方が云々《うんぬん》、っていうより、そもそも人間性の問題じゃないかなあ。フッ素樹脂加

工のフライパン、金属たわしで洗わないよ、ふつう」

珊瑚と二人きりになったとき、由岐がぼやいた。珊瑚はジャガイモの皮を剝《む》きながら、

「知らなかっただけじゃない。フッ素樹脂加工のフライパンは、貰《もら》いものだから置いていたけど、ちょうどそろそろ下げようと思っていたところ。そりゃ常識はないかもしれないけど、私たちだって、知らなかったときがあったわけだし。そこで人間性の問題なんて、言うかねえ。いいとこもあるよ」

「いや、人間性の問題って言ったのは、そういうことだけじゃなくて、全般的なことで……」

「合う合わないってのもあるからね。私も『たぬきばやし』では、美知恵さんとはあまり合わなかったから」

「そう言えば昨日、駅で美知恵さんに会ったよ」

「へえ」

「結婚したんだって」

「へえ」

「ラブラブなんだって」

「ほお」

「桜井さんのこと、知ってた」

「ふうん」

「『雪と珊瑚』のことも知ってたよ。偶然内田さんのエッセイ読んで、いつか行きたいな、って思ってたんだって。それから偶然私たちの写真の載った雑誌見て、ここだって分かって驚いたって言ってた」

「……そうか」

世の中にはどうしても相性の悪い人間がいる、ということは、美知恵から学んだ。それでも、自分の店に「いつか行きたい」と思っていてくれたと知ると——自分の店だと知らなかったにせよ——なんだかそれだけで気持ちが少し和む。このくらい離れているのが、彼女との「ベストの距離」なのかもしれない。何も世の中のすべての人と「ラブラブ」になる必要はないのだ。ないのだが。

珊瑚はジャガイモの皮を剝き続ける。気をつけないと、ふっと集中が途切れ、手元が狂いそうになる。睡眠不足だ、と自覚する。

最近どういうわけか雪の夜泣きがきつい。その頃珊瑚がくららの家に雪を引き取りにいく時刻は、ちょうど雪が寝付いた直後のタイミングになってしまい、以前はそのままアパートに連れ帰ってもずっと寝たままでいてくれたが、最近は——成長期で脳が以前より興奮しているのか——帰り着いたところで目を覚ますようになっていた。そこからはなかなか寝付かれないのだろう。ちょうど珊瑚がうとうとしかけると決まったようにぐずりだし、やがて大泣きに泣き、あまりの大音量にアパートの他の住民に迷惑をかけるのを恐れ、起きてバギーに乗せ、外へ連れ出す。しばらく散歩しているうちに寝付くので、そっと連れ帰る。そういう夜の散歩が癖になってしまったのか。けれどこのままでは自分の体力も持たない。パジャマを着てもすぐに着替えなければならないと予測がつくので、近頃はそのまま外へ出てもおかしくない服装で寝ている。朝起きてもぼうっとして体がすぐには動かない。くららに相談して、なるべく昼寝の時間を短くして夜寝るようにしてもらおうと頼んだ。が、それもうまくいかない。あんまりぐっすり寝ているので、起こすのが不憫《ふびん》で、と毎回すまなそうに謝られる。一過性のものだから、と慰められても、珊瑚には永遠に続く責め苦のように思えて仕方がない。

実は珊瑚も沙羅の働きぶりには、あっけにとられることがある。けれど自分がそういう精神状態だから、ガミガミ言いだしたらきりがなくなると自制してきた。それに雪が生まれてから、自分より若い子を見ると、この子もちょっと前までは赤ちゃんだったんだ、という視点が生まれてきて、あまり真剣に怒る気になれない。

翌日の閉店後、伝票の記録と売り上げの金額が、ちょうど一万円合わなくなった。レジ担当だった沙羅は何度も数え直すのだが、やはりどうしても合わない。

「合わないはずはないんだから、よく探して、そしてもう一度最初から計算してみて」

由岐が言うと、

「何度もやりました。これだけやっても合わないんだから、これ以上やったって、同じことです。どうしてもやれって言うんなら、お払いします、それ」

ふてくされたような物言いに、由岐はとうとう、

「あのねえ、そういう問題じゃないでしょ」

思わず声のトーンを荒らげてしまったのが沙羅にはショックだったのか、

「だって、どうしろって言うんですか」

泣き出した。タヌキの餌やりから帰ってきた珊瑚は、繰り広げられている事態に驚き、話を聞くと、

「一万円、ってとこが切りが良すぎる」

そう言って、レジの引き出しを外し、カウンターの上に置いた。それから奥に手を入れ、

「あった」

一万円札が、しわになって引き出しの外側に入り込んでいた。

「よかったー」

由岐が脱力したような声を上げる。

「札がぎゅうぎゅうになっていたのを、そのままにしていたから、上のが一枚、奥に入り込んじゃったのね。私もずっと前、同じようなことをしたのよ」

「よかったです」

沙羅はその日、安心して帰ったように見えたが、翌日、もうやめると電話してきた。たった一万円くらいで、あんな、人格を否定されるようなことを言われるなんて耐えら

れない、というのがその理由だった。珊瑚と二人のとき、由岐は確かにそれに類することを言っているが、沙羅に面と向かって言ったことはないはず。が、沙羅も小さなことが積み重なってくるうちに、由岐の本音を感じ取れるようになってしまったのかもしれない。

「珊瑚さん、あの人、おかしいですよ」

最後に忠告するけど、というようなニュアンスでそうささやくと、珊瑚の返事を待たずに電話は切れた。由岐にはそのことは伝えなかったが、沙羅がやめたというと、

「私のせいだね」

怒っているとも傷ついているとも見える顔で由岐は呟《つぶや》いた。

「しょうがないよ。けれど、そうやってやめると電話してくるのはまだいい方で、何の連絡もなくこなくなる子もいるからね。由岐さんがくる前の『たぬきばやし』のとき、そういうことがあったよ」

「で、どうする」

「うーん。また探すしかないね。また店に貼り紙をしようか。できたら即戦力になる人がいいけど」

「駅の出店の件もあるよ、もう決めた？　出すんだったら、そのことも考えて人を探さなきゃ。壁塗り隊でよければ、話してみるけど」

「そうなんだよね……」

思い切って踏み切りさえすれば、多少の困難は乗り切れそうな気もする。けれど踏み切ってしまったら、何か、自分の力ではもうどうしようもないものに動かされて行く気がする。駅ビル出店の件については まだ迷い続けている。

「あ、表のポストに、手紙入ってた」

由岐は片手に持っていた封書を、思い出したように珊瑚に渡した。珊瑚はそれを裏返しながら、

「店の？　あ、美知恵さんだ」

「働きたいって言ってきてたら？」

「まさか」

雑誌で住所を知ったのだろう、と思いつつ開封し、とりあえずは急ぎの用かどうかだけ確認するつもりで目を通したが、途中でそそくさと便箋《びんせん》を封筒に入れ直した。

「なんて？」

「あとでゆっくり読む」

短くそう言って、総菜の準備に戻った。

美知恵の手紙は、まさに青天の霹靂《へきれき》だった。

出だしは、珊瑚が店を持つということは知っていたが、こんなに世間の注目を浴びる店になろうとは思わなかった、由岐に会ったが、これから先どんどん大きくなるようで

本当に驚いている、という内容で、そこまでは珊瑚も普通に読んでいたのだが、問題は、次の、「私はあなたが嫌いです」という言葉から始まる文章だった。

「……お察しでしょうが、私はあなたが嫌いです。最初から嫌いでした。一人で子どもを産んで育てるということを、なぜあんなに周りが持ち上げるのか分かりません。結局自分でまいた種、でしょう？　誰が頼んだのでもない、十代で同棲《どうせい》するところから、自分で選んだ選択なのだから、当たり前でしょう？　好き勝手やったあげくの道なのに、どうして雅美さんはあんなにあなたを大事にし、由岐さんに至っては尊敬するのでしょう。

それは一つには、あなたの賢さがあるのだと思います。それは尊敬できる類の賢さではなく、無意識の計算高さ、ずる賢さのようなものです。あなたはポーズをとっている。そのポーズをとれば、どんな最低の立場でも、いや、むしろ、そこが最低ラインであればあるほど優位にたてるということを、あなたは知っている。逆境にもかかわらず、自分は一生懸命まじめに生きている、というポーズです。こんな自分に周りは手を差し伸べて当たり前、という傲慢《ごうまん》さ。あなたはそれが傲慢であることに気づいていますか。周りから少しずつ親切と同情を掠《かす》め取ることの浅ましさに気づいていますか。気づいていないとしたら、それはあなた自身が自分のポーズに酔っているからです。

ポーズで塗り固められているようなあなたに、『ほんとうの自分』なんてものがあるのですか。あなたにあるのは、外から見え見えの、いえ、むしろ外に見せるための『……ねばならない』というポーズだけ。中身、なんにもないんじゃないですか。

あなたみたいな、いいかげんな生き方をしている人が、『私こんなにもまじめに生きてるのよ』と体中で叫んでいるようなポーズをとるだけで、実際に世間がころころ騙《だま》されていく、私はそばで見ていて不愉快でたまりませんでした。無視すればいいことなのだ、とは分かっています。でもやはり、私にはあなたの生き方がどうしても鼻についてたまらない。『疲れた勤め人に力の出るお総菜を』？　いいかげんにしてください。それでずっと世間を渡って行くつもりなのですか。……」


一読、呆然《ぼうぜん》とする。まるで道を歩いていて突然狂犬に嚙《か》まれたようなショックと驚き。それは違う、と思う記述も多々あったが、彼女が言わんとしていることは確かに自分が感じていた葛藤《かっとう》の核心を突いている、結果的には。そう思う、その驚き。まさかここまで直截《ちょくせつ》な言い方で、自分というものの在り方を指摘されようとは思わなかった。同時に、何のためにこんなものを書いたのか、その疑問が頭のなかを駆け巡る。あのときはごめんなさい、というお詫《わ》びの手紙か、せいぜい、今までのことは水に流して仲良くしましょう、という関係の再出発を持ちかける手紙だろうという甘い予測があった。

再読、再々読しているうちに、ざっくり切られた傷口の深さが自覚できるようになる。けれど、それの本当の痛みが始まるのは数日後からだろう、という予感すらする。今は驚きのあまり感覚が麻痺《まひ》している。ただ、自分のなかのどこかでは、彼女の言い分にひどく納得しているところがあるのだった。

「中身、なんにもないんじゃないですか」という言葉が、空っぽの体中にリフレインする。

その晩もやはり雪の夜泣きが始まった。昼間は元気に遊んでいるし、昼寝のときも別にどこか痛がったり苦しがったりということはないのだから、体に異変があって、ということではないのは分かっている。なぜ泣くのか。ときどきその小さな両肩にすがってこちらも泣きながら問いただしたくなる。幸いなことにこのところ那美は夜勤続きでその害を被っていないが、安普請の、遮音のことなど何も考えられていないこのアパートに住む他の住人にはひどい迷惑だと思う。寝入りばなの疲れた体を気力だけで起こし、以前はさんざん試した、なだめたり食べ物を与えたりだのの無駄な努力はやめ、いつものようにすぐにバギーに乗せ、夜の散歩に出かける。もう限界だと思った。頭を抱え、自分の声は出さずにいっしょにしゃくりあげる。その顔のまま、バギーを押し、夜の町を歩く。ふらふらと駅前まで歩いてしまった。もう終電も終わった駅の構内で、誰かがゆっくりと動いている。ホームレスだ。今夜の宿をそこにとろうとしているのだ。いつもそこに決めているのだろうか。階段の脇の奥まったスペースに段ボールを敷き始めた。その他には人影のない、がらんとした構内。こういう感じ、ずっと昔も知っていた、と珊瑚は思う。

思い出した。木野駅。いや、ずっと覚えていたのに、そのことを考えようとしなかったのだ。いつも、母を迎えに行っていた。日が暮れて、家のなかが暗くなるのがたまらなくて、歩いて駅まで行っていた。改札の前で出てくる人々をずっと待っていた。その

なかから、疲れきった母が出てくる。いつか、出てくる。そう信じて。けれどやがて空腹に耐えられなくなり、自分自身が疲れきって結局とぼとぼと家路をたどる。

母が帰ってこないのは、自分が母の「家庭」ではないからだ。人は家に帰る。けれど母は帰らない。それは、ここが母の家ではないからだ。そう思っていた。

――母の帰る家をつくりたい。

それだけのことだったのだ、と思う。

では、雪は自分にとってなんなのだろう。母と、こう過ごせていたかもしれない「自分」の分身か。自分の過去を「上書き」するための赤ん坊か。それであんなに雪を産むことに迷いがなかったのか。

いや。と珊瑚はそう問うた自分自身の問いを否定する。そんなことがあってはならない。そんなことがあってはならない……もしや万が一あったとしても、もう今はこんなにも自分の存在を主張している雪を前にしたとき、その可能性は即座に否定されないといけない。たとえ果てしなく続く質のものであっても、それの否定は自分の中でそのたびになされなければならない作業だ。

けれどなんと疲労する作業だろう。こういうことすべてから逃げ出したいという思いがちらりと胸をかすめる。だが、そんなことができないのは自分が一番よく分かっている。

どこかでゆっくり眠りたい。足は店へ向かった。あの保護樹林の中なら、ちょっとやそっと雪が泣いても、それほど他人に迷惑をかけることもないだろう。店の二階には、くららが仮眠用の布団を置いてくれていた。

静かな夜だ。雪もやっとうつらうつらし始めている。珊瑚も意識が半分朦朧《もうろう》としている。とにかく早く眠りたい。転がるようにして店へ続く小道を降りる。ドアを開け、バギーから雪を降ろし、彼女を抱いて二階へ続く階段を上がる。布団を敷くために、そっと雪をおろしたつもりだったが、目を覚まし、ぐずり始める。それにかまわず、敷いた布団に彼女を移し、抱きしめるようにして一緒に寝る。無理やり寝ようとする。無論のこと、雪はいつものように泣き始める。かまわず寝ようとするが、傍若無人な泣き声がいつまでもいつまでも続くと、次第に凶暴な気持ちがわいてくる。一瞬だが口を手で塞《ふさ》いでみる。だが外すと、それまで以上に大声を張り上げる。たまりかねて、二階の部屋を出る。追いかけてきて階段から落ちないようにドアを閉める。階段から落ちないように、という理由と、とにかく閉じ込めておきたいという懲らしめの心と、どちらが先行しているのか分からない。一階に下りて、ソファと椅子を寄せて簡易ベッドを作り、横になる。泣き声はここでもかすかに聞こえているが、とにかく少しだけでも遠ざかれたことにほっとする。今のうち、寝よう。ちょっとでも寝て、自分を取り戻すのだ。雪が憎たらしく思えて仕方がない。

それから一時間経った。あんなに眠かったのに、体のどこかが異様に緊張して、なかなか寝付かれない。ただ目を閉じて横になっていた。動けなかった、という方が正しい。雪は泣き疲れて眠っているだろうか。そうだったらいい。泣いてもいつかは眠ってくれたら。

急に不安になって、起き上がる。そっと二階へ向かう。ドアを開けようとして、ぎょっとする。汗と涙で顔をくちゃくちゃにして、声も出せずにしゃくりあげている雪がすぐそこにいた。雪はずっと、泣き続けていたのだった。珊瑚の顔を見ると、さらに肩で息をして、はあ、はあ、と両手を伸ばし、

「マン……マ、マンマア」

と掠《かす》れた声で珊瑚を呼んだ。初めて、珊瑚をママと呼んだのだった。自分では開けられないドアの向こうにいる母親を呼び戻すために。

そこで抱きしめていっしょに泣くには、珊瑚は疲れ過ぎていた。雪が可哀そうでいじらしかった。けれどまだ憎らしく思う気持ちも、すべては消えていないのだった。立派な虐待だ。だがもう、自分を責める気力もない。美知恵がこれを見ていたら、ほらそれがほんとのあなたよ、と言うだろう。案外、ほめてくれるかもしれない。ようやく虚飾がなくなった、と言うかもしれない。ぼんやり頭の隅でそんなことを考えながら、布団

に横になって、腕にむしゃぶりついてくる雪の背中を、珊瑚は力なく、優しく叩《たた》いた。

「眠ろう、雪」

しゃくり上げて、体中が小刻みに震えている。火のようにほてっている。子どもは、こんなにも母親を求めている。そのことが哀れで、悲しかった。親であることも、同じように悲しかった。


初めて雪が自分をママと呼んだこのときのことを、これから一生、深い負い目と自己嫌悪とともに思い出すのだろう、と珊瑚は小さく覚悟した。子どもが成長するきっかけは、愛に溢《あふ》れた体験の中ばかりではなかった。

珊瑚はくららにすらこの夜の経緯を詳しく話す気になれなかった。話したら、きっと自責の念が溢れて、それはきっと収拾がつかなくなるまでに膨れ上がるだろう。そしてそれを聞いたくららは、必ずなんらかの慰めのようなものを珊瑚に与えるだろう。今までと同じように。今回だけは、そんな安易な告解のような形で収める気になれなかった。

藤村に会わなければならない、会うとしたら今しかない、と思った。

帰ってから、以前にもらっていた藤村の手紙への返事を書いた。元気でやっていること。赤ん坊を産んだこと。店を始めたこと。それから少しためらったが、母に借金の保証人になってもらったこと。

書き終わると夜が明けようとしていた。

それから数日後、藤村が店を訪ねてきた。夕方の、食事の時間帯前、客が一瞬潮のように引く、そういう頃合いがまるで分かっていたように、すっと店に入ってきた。

「ああ」

珊瑚は一瞬挨拶《あいさつ》するのも忘れて、ただその顔を見つめた。

「お手紙、ありがとう。うれしかった。珊瑚さんに赤ちゃん、生まれてたなんて知らなかったわ」

藤村は感慨深げに微笑んだ。珊瑚もそこでやっと微笑み返し、

「どうぞ」

とカウンター席へ案内した。それから厨房《ちゅうぼう》へ入り、丁寧にコーヒーを淹《い》れる。

「当たり前だけど、上手ね」

藤村が感嘆する。

「慣れです」

差し出されたコーヒーを一口飲んで、

「おいしい、すごくおいしい」

何度も頷《うなず》くその仕草に、藤村が心の底から言葉を届けようとしているのが分かる。

「ありがとうございます」

珊瑚はにっこりと、軽く頭を下げる。

「よく二人でこうやってコーヒーを飲んだわね。でも、私が淹れてあげたのはこんなにおいしくなかった」

「そんなことないです……あの頃、ほんとうにお腹がすいてて」

それから自分が言った言葉が、暗に藤村のコーヒーがおいしくなかったと認めている可能性に気づき、あ、いえ、と慌てて否定し、藤村は笑った。珊瑚もつられて笑い、

「ときどき思い出します。先生がいなかったら、私、どうしてただろう……」

藤村は珊瑚から目をそらし、当時を思い起こしているのか、

「不思議な生徒さんだったわ。ものすごく大変な状況なのに、妙に客観的で、でも醒《さ》めてる、とか、諦《あきら》めてる、というのともちょっと違って」

自分が外からどういうふうに見えていたか、ということは美知恵の手紙を読むまでは、考える余裕もないことだった。少なくとも、意識的には。美知恵の手紙を読んでから、自分にはおぼろげにしか見えていなかった自分自身の何かが見えたような気もした。それを認めるのは、生きる気力がなくなるかと思うほどつらいことだったが――生き方を修正しようにも修正の方法が見つからない、自分自身の存在を否定されたようなものだったから――藤村の述懐は、美知恵のとも珊瑚自身のとも違う、自分の知らない自分の話を聞くようだった。

「おかあさんともお話しさせてもらうようになって……。今回連絡を取ったら、おかあ

さんは、珊瑚が知りたがったら、自分のことを何でも話してくれっておっしゃったわ」

珊瑚は返事ができない。そうですか、と頷くことも、何を言ってるんでしょう、と憤慨することもできない。

「母はなぜ、先生にそれほど——なんというか、心を開いて話すんでしょう。昔から、不思議に思ってました」

ああ、そうよね、と、藤村は頷いた。

「私はね、おかあさんの幼なじみだったんです。でも中学校に上がるときに別れたままずっと会っていなくて、あなたのおかあさんに初めてあなたのことで手紙を書いたときも、私自身は気づいていなかったんだけど、手紙を受け取ったおかあさんの方が先に気づいた」

珊瑚の口から、思わず嘆息のような息が漏れる。藤村は続けて、

「そのこと、言わなかったのは、あなたにあのとき、私がおかあさん側の人間のように思われたくなかったから、かな。言えば、あなたがきっといろいろ質問してくるだろう、それに自分は応《こた》えられるのか、というようなこと」

ああ、と珊瑚は呟《つぶや》いた。なるほど。

「普通、親御さんって、子どもには自分の若気の過ちみたいなこと、知られたくないものよ。それから、やっぱり、親は子どものことを愛しているんだ、って思われたいもの。小さい頃子どもを捨てた親と再会、って場面では、親は必ず、すごく愛してたんだけど、

いかんともしがたい事情があって、っていう言い訳をするもの。たとえ、そのとき子どものことなんか全く考えてなかったとしてもね。それは親の保身とも言えるし、日本の文化に、親は子どもを慈しむもの、でなければ人道に悖《もと》る、畜生にも劣る、っていう刷り込みみたいなものがあるからかもしれない。でも、珊瑚さんのおかあさんは、そんな『ふり』はこれっぽっちもしなかったわね」

その場合の「ふり」は、せめてもの愛情の証拠じゃないか、と珊瑚は思う。嘘でも、子どもはそれを信じたい。そういう嘘をついてくれたら、子どもはそれを拠《よ》り所にそれからの人生を生きていける。だが、それは口には出さなかった。その代わり、

「しなかった、というより、できなかった。そう言う方が正確だと思います。先生は、母を、少し、持ち上げ過ぎだと思う。なんとか、私のために、母のいいところを見つけてあげようとしていらっしゃる？　それなら、そういうお気づかいは無用です」

藤村は少し目を伏せ、言葉を探しているようだった。珊瑚は、

「母は、子どもが愛せない。それならそれで仕方がない。でも、なんでそういう人間になったのか。それは知りたいと思います」

「ほんとうのところは私にも分からない。どういう経験をしたら、子どもを愛せなくなるかということについて。おおまかな推測はできるけれど、けれど、それも推測でしかないし。ただ、彼女があなたに対してしたことは、明らかにネグレクト。彼女には母性がなかった。でも母性って、すべての女性が持つべきものだと、あなたは思う？」

「すべての女性が持たなくてはならないものだとは思いません。すべての女性が親になる必要はないのと同じように。ただ、子どもの立場からしたら、親になった人には持っていてほしいものだと思います。むしろ、母性のない人間は親になるべきじゃない、本来は」

「本来は」

藤村は繰り返して頷いた。

「そう、確かに、あなたのおかあさんは、母親失格だと思う」

藤村のこの言葉を、珊瑚は身じろぎもせずに聞いた。突然、目に見えない斧《おの》で、自分にずっとまとわりついていた何かが断ち切られたような気がした。世界に、霧のようなシャワーが降ってきた気がした。

「あなたのおかあさんは、母親になる資格なんかない人だった。子どもを慈しみ育てようとする本能、理性、そう意志する力がなかった」

珊瑚は黙って目を閉じて聞いている。

「あなたのおかあさんは、そういう人だった」

「母は、私を望んで産んだわけではない、ですよね」

珊瑚はもうすでに、何かが吹っ切れたような、自分でも驚くほど清々《すがすが》しい気分でいる。この質問をしたのは、自虐的な思いからではなく、最後に確認したかったからだ。藤村は珊瑚の瞳《ひとみ》を探るように見つめ、それが静かで、落ち着いていることを見て取り、そうし

てそうであることを持続させよう、それを乱れさせせまいとするように力強く見つめ続けながら、

「ええ、望んでなかった、確かに。けれど、私はあなたのおかあさんが嫌いになれない」

珊瑚はこれを聞いてもう一度目を閉じ、大きくため息をついた。望まれないで生まれた子だった。それは当然察しがついていたことだ。けれど生まれたことはしようがない。何度も何度も自分では出した結論だったけれど、誰か他人から、こうもはっきりと言われ、その言葉が自分の外部から内部に入ってくる、ということが、これほどの効果を持つとは。これでいい。これで私は自由だ、と思った。

「人は皆、平等みたいによく言われるけど、生まれたときから祝福されて、みんなから待望されて生まれる子と、誰からも祝福されず、それどころか呪われるようにして生まれる子とでは、誕生の時点から既に雲泥の差、全然平等じゃないですよね」

藤村は深くため息をついて肯《うなず》く。珊瑚は続ける。

「けれど、そういうふうに生まれついたのなら、そのなかで最良のことは、そのことにできるだけ支配されないで、可能な限り自由に生きることだって、今、分かった気がします。私は今まで何もかも自分で決めてここまでやってきたと思っていたけれど、でもそうじゃなかった。そうじゃなかったって分かった瞬間、ようやく、母のことから離れられた気がしました」

藤村は、この言葉をどうとらえていいか分からない、という顔をして聞いていた。そして、気遣わしげに、

「あなたのおかあさんが、あなたの店の場所を知りたがっているの。孫に会いたい、っていうような人じゃないと思うけど、でも、孫に会うことが彼女の気持ちにどんな変化を起こすか、それも誰にも分からないことだし。ただ、私が心配しているのは、彼女が今いる宗教団体が、どうも多額の寄付金を集めているらしいってことなの。彼女は、これとなったら後先見ずに突っ走るところがある人だから、あなたのことには多少罪悪感があったにしても、目をつぶって無心にくるかもしれない。そうしたら、どうする？追い返すわよね、ふつう」

珊瑚はしばらく考え込んだ後、顔を上げ、

「追い返しはしません、お金も出しませんけど。無心されたら、腹立ちより脱力感を感じるでしょうね。でも、情けなさはあっても、結局別の人間ですから。ここのこと、教えてあげてください。母がきたら、彼女がコーヒーを飲みにきたのなら、一人になりたくてきたのなら、客ですから、受け入れます。私はきっと、うれしいです。けれど、そういう金を払うゆとりは私にはない。そのことははっきりと言います。私は、子どもを育てるのに、食べていくのに、金が必要なんだと」

分かった、伝えます、じゃあ、そろそろと言って、藤村は立ち上がった。

「今日は会えてよかった。本当に。今度、お子さんに会わせてね」

「ぜひ」

　会釈して、店を出ようと藤村はドアに近づいた。次の客が小道を歩いてきているのが見える。

「先生」

　珊瑚は藤村の後ろ姿に声をかけた。

「昔一度、私が母によく似ている、とおっしゃったことがありましたね」

　藤村は振り返って珊瑚を見た。それから微笑んで、

「おかあさんは世間的な尺度で自分の行動を決めたことは一度もなかった。自分をよく見せようと立ち回ったことなんか一度もなかった。あなたのおかあさんは潔い人だった。昔からずっと」

　藤村が帰ったあと、明日一番に駅ビルの担当者へ電話して、駅の出店の件を断ろうと思った。店は、これ以上大きくしない。


　雪の夜泣きは、その後も続いた。ここしばらくの無理がたたったのか、開店前に雪をくららに預けに行ったその玄関先で、珊瑚は崩れるようにしゃがみこんだ。急に視界が狭まって世界が暗くなり、血の気が引いて行くのが自分でも分かった。玄関の三和土《たたき》にうずくまり、くららの、「大変、とにかくこっちへ」という声を遠くに聞きながら、力

を振り絞って、這《は》うように上がり、彼女が玄関わきの和室に敷いてくれた布団の中に身を横たえた。目の裏がちかちかする。体中から力が抜けて、歯の根が合わない。意識が遠のく。

「だいじょうぶ？」

くららが心配そうに声をかけ、珊瑚の腕をさすっている。まだ意識がある、という証拠に、頷《うなず》いて見せる。そういう状態で、十五分ほど経っただろうか、

「……少し、よくなりました」

なんとか、楽に息が出来るようになった。

「ああ、よかった。よっぽど救急車を呼ぼうかと思ったけど……」

「だいじょうぶです」

「でも、まだちゃんと立てないでしょう。寝てなさい。私、由岐さんに連絡しとくから」

「だいじょうぶです。行かなくちゃ」

珊瑚は立ち上がろうとして、すぐにまた血の気がざあっと引くようなめまいに襲われる。

「ほら。今、無理やり店に行っても、お客さんに迷惑かけることになりますよ」

その通りなので、大人しく寝る。雪の姿を目で探す。不安そうに足元に座り込んでいる雪の姿が目に入る。雪はなにか起こっているということは分かっているようで、泣き

出す寸前のような神妙な顔をして珊瑚を見ている。

「雪」

声をかけられた雪は突進するようなスピードでやってきて、珊瑚の布団の中に入り込み、しがみつく。しがみついた雪の体に手を回す。雪を抱いて横になっていると、今まで張っていた緊張が、胸の奥から解除されていくような安堵《あんど》が広がる。それから、眠ってしまったらしい。それも深く。覚えているのはそこまでである。

誰かが自分の枕元にいる。長いストレートの髪が揺れて、額に手を当てている。ぼんやりそういう像を見ていた。枕元に誰かがいた。けれどそれは、長いストレートの髪の持ち主でもなく、くららでもなかった。

「目が覚めた？」

どこかで見たことがある。が、思い出せない。相手はそれも分かっているようで、

「私、泰司の母です」

あ、と、表情で思い出したことを告げる。

「たまたま、雪ちゃんの顔を見に寄ったら、こんなことになっていて……。くららさんがお店のお手伝いに行きたそうになさってたから、私に見させてください、ってお願いしたんです」

泰司の母、春田夫人は、こんなふうに雪に会いに来るようになっていたのだろうか。いつのまに？　それとも、今日が初めてなのだろうか。そんなことを思いながら、

「……すみません」

　ううん、と首を振りながら、

「お願いしたんです、私の方が。だからね、こっちがお礼を言いたいぐらいよ」

　春田夫人は、珊瑚を力づけるように頷いた。そして音の出るおもちゃで遊んでいた雪の方を見て、

「雪ちゃんともちょっと、仲良くなれたし」

　目尻《めじり》に皺《しわ》の多い、ふくよかな顔立ちで、なんだか炊き立てのご飯のように温かい人だ、と珊瑚は思った。

「お店が忙しくなったんだって、くららさんから聞いたわ。若いからって、無理をしちゃだめ。雪ちゃんのためにも」

　はい、と、珊瑚はうなずいた。そのとき、庭の木々のうちの一本から、ツクツクホウシが鳴く声がした。やぶれかぶれのような鳴き方で、威勢の良さと気力の弱さを代わる代わる繰り返す。

「あら、もう十月だというのに」

　春田夫人は庭の方を見やった。すぐに止むだろうと思っていると、案の定、始まった時と同じように突然途中で止まった。飛んで行ったのか、それにしてはいきなりの終わり方だった。もしかしたら猫か鳥かに襲われたのかもしれない。あるいはただ、力尽きたのかもしれない。春田夫人は、それが終わったことには何も付け加えず、けれど、じ

き終わるのを知っていてそれを待っていたかのように、

「泰司はほんとうに子どもで。珊瑚さんも、こんなんじゃやっていけないと思ったことでしょうね。ほんとうに子どもなの」

そう言ってから、ちょっと言い過ぎたと思ったのか、

「親だからそう見えるのよ、って、言う友だちもいるけど、まあ、そうなんでしょうけど。私にとってはそんな子なのに、いつのまにか結婚して、離婚までして……。先を越されちゃった」

この言葉は、珊瑚には意外だった。どう返していいものかすぐには分からなかった。離婚したことを、自分の先を越された、と表現したということは、春田夫婦に、あるいは春田夫人だけにその心づもりがあったということだろうか。春田夫人は、急にまた話題を変え、

「この間のお話、やっぱりね、受けていただけたら、ほんとうにうれしいわ」

養育費のことだと、すぐに分かった。倒れた珊瑚の姿が、春田夫人をますますそういう援助気分に駆り立てたのだろう。これについては珊瑚の考えもまとまっていた。

「今はまだ、ぎりぎりなんとかやっていけています。だから、だいじょうぶです。でも」

そこでちょっと言葉をきって、

「これから先もずっとそうだとは言えません。実際、今日のようなことがあると、正直、

不安です」

「ね」

春田夫人は真顔で頷く。ほんとう、いい人なんだ、と珊瑚はぼんやり思う。雪とこの人は血縁だ。その繋《つな》がりが、こういう情をもたらす。それが雪の手持ちの「無形財産」みたいなものなのなら、それは大事に残しておいてあげたい。けれど、私が甘えるのは違う、と珊瑚は考えていた。

「だから、もし、これから先、私に何かあったら、そのとき、雪のこと、お願いできるでしょうか」

春田夫人は眉間《みけん》に皺を寄せるようにして、珊瑚に顔を近づける。

「万が一のときはね、もちろんよ、でも、そういうことになる前に、ね?」

珊瑚は微笑んで目を閉じ、いえいえ、というように首を横に振った。じっと見つめていた春田夫人は大きなためいきをつき、

「今更なんだけど、離婚、ほんとうに残念。泰司に愛想を尽かす気持ちも分かるけど」

「愛想尽かされたのは私です。離婚を言い出したのは、彼の方です」

感情を入れずに事実だけ、淡々と述べた。え? と、春田夫人は怪訝《けげん》そうな顔をして、それからようやくすべて腑《ふ》に落ちた、というように、

「あの……ばか」

と、低い声を絞り出した。そんな言葉が、春田夫人の口から出てくる。珊瑚は彼女の

顔を見つめ直した。

「ひとつのことが、長く続いたためしがないのよ、小さいときから。全部、中途半端で放り投げるの。プラモデルだって、習い事だって、学校だって。今度のことだって、二人で話し合って決めた、って言っていたのに、そういうことだったのね」

「話し合ったことは、話し合ったんです」

珊瑚は思わず泰司を庇《かば》った。そう言えば、泰司はそれなりに親を怖がっていたような気がする。春田夫人は、見かけによらず激しい性格の持ち主だったのかもしれない。自業自得とは言え、彼の立場を悪くしたのではないかと珊瑚は慌てた。春田夫人は頭を振り振り、

「今変わらないと、あの子は一生そんなことの繰り返し」

「でも、今の仕事は続いているみたいですし」

なんで自分が泰司の肩を持っているのか、珊瑚自身、不可解だった。

「それもいつまで続くことやら。いえ、親の私が信じてやらなきゃいけないっていうのは分かってるんだけれど……」

春田夫人と話しているうちに、珊瑚も徐々に回復してきて、くららが由岐といっしょに戻ってきた頃には布団から出られるようになっていた。

「閉店にはちょっと早い時間だったけど、珊瑚さんが下ごしらえしてた分だけ売り切っ

て、今日はそれで店を閉めよう、って、最初に由岐さんと電話で決めてたの」

「それで十分です」

「だいじょうぶなの、珊瑚さん」

由岐が気遣わしげに珊瑚を見つめる。

「だいじょうぶ、だいじょうぶ、もうすっかり」

「一度ちゃんと検査してもらった方がいいよ」

うんうん、分かった、そうする、と肯き、

「すっかりお世話になってしまって」

深々と三人にお辞儀をした。

「明日は、総菜の数を減らして、無理のない程度に、ね。じゃ、私はこれで」

そう声をかけると、くららと由岐に目礼して、春田夫人はそそくさと帰っていった。

「いい方」

「いい人」

残った三人は頷《うなず》き合う。春田夫人は、おそらくどこへ出ても、最大公約数的に「いい人」で括《くく》られるタイプなのだろう。たとえ「これはまた意外な」とか、「そんなところもあるのね」などと言われることがあったにしても、それも人として許容できる範囲を逸脱しない。

「あれで息子さえ……」

「息子だって、それほどひどいわけじゃありませんよ。ああいう方たちが、たくさんいてくれて、社会の良識は支えられていくのねえ」

そう褒めるくらららに向かって、実は彼女も離婚を考えているふしがある、とは、珊瑚は言えなかった。大なり小なり、皆それぞれの破綻《はたん》を抱えながら、かろうじて社会は回っていっているのだろう、きっと。

「でも、偶然とは言え、彼女、よく来てくれましたねえ、今日」

「ほんと、ほんと」

「え？　偶然だったんですか。もう何回かいらしてるのかと思ってました」

「だったら、私、珊瑚さんに報告してますよ」

そんな不思議なことがあるのだろうか。

「そういうことって、起こるのよ。春田さんは、雪ちゃんに会いたいって、思いつめていらしたのかも。今ぞこのときって、急《せ》かされたのかもしれません。お計らいねえ」

何の「お計らい」なのか、とは訊《き》かなかったが、珊瑚も彼女に大事なことが伝えられたし、雪も自分の祖母とゆっくりした時間が持てたのだから、たしかに何かの「お計らい」のようにも思えた。

「じゃ、明日もまた来ます。よろしくお願いします」

「ほんとうにもういいの？　ゆっくり休んでね」

いたわられつつ門を出た珊瑚は、けれどアパートへは帰らず、そのまま雪を連れて店へ向かった。明日の仕込みをしなければ、平常に戻れない。今日だって、クローズドの札を見て、がっかりして帰った客があっただろう。一日休んだせいか、十分働けるエネルギーを感じていた。

自分がはっきりと元気になったのは、春田夫人が「……親の私が信じてやらなきゃ……」と言った、あの言葉からだったと珊瑚は自覚している。春田夫人は息子が信頼できないと嘆く。珊瑚の母、保子は、以前珊瑚が保証人になってくれと頼んだとき、「あんたの保証ならできる」と断言し、肯いた。春田夫人に較べればほとんど母性などないに等しい女性だったが、少なくとも子どもを信頼していた。あのときの保子の言葉が、それから幾度となく珊瑚の頭の中でリフレインしている。今日の春田夫人のひとことで、それが今までなかったことに――いや、意識していなかっただけかもしれないが――幸福感のようなものさえ伴って、珊瑚のなかで再び甦《よみがえ》った。

店に着くと、雪をバギーから降ろし、背中におぶった。厨房《ちゅうぼう》に入り、ジャガイモ袋のなかから、土つきのジャガイモを取り出し、水を張った洗《あら》い桶《おけ》の中に放り込む。土つきのニンジンも同じくそうする。カブと長ネギは流しの上に直《じか》においておく。ジャガイモの土をたわしで取る。ジャガイモの皮を剝《む》く。切る。鍋《なべ》に火をかけ、茹《ゆ》でる。ニンジンの泥を落とし、皮を剝くと甘い香りが匂い立つようだ。切って軽く湯通しする。葉物を洗う。長ネギの外皮を剝く。洗う。端から切っていってフライパンでバターソテーする。ピーマンを洗い、切る。マッシュルームの泥を落とす。タマネギの皮を剝き、縦に二つに切る。その一つの切断面を下にして、端から薄く切っていく。それをガラス瓶に詰め、上から酢を流し入れる。これで明日には使える。

途中、背中で眠った雪を、椅子を並べてつくった簡易ベッドに寝かせ、また作業に戻り一時間が過ぎた。それぞれの料理に合わせ、下ごしらえを終えた野菜に、ラップをかけ、布巾《ふきん》をかけ、蓋《ふた》をして、明日の出番に備えさせた。

こうしてようやく一段落すると、久しぶりに自分のためだけにコーヒーを淹れ、仕事の成果を見ながら、椅子に座って一息つく。ここが自分の居場所だ、と、両手でカップを包みながら思う。誰かのための、居場所をつくりたい、なんて、驕《おご》った考えだ。自分がそもそも、そういう場所が欲しかったのだ。

母でも娘でもない、自分が今、ここにいる。


くららは、雪の夜泣きが収まるまで、しばらく親子ともくららの家に泊まる、ということを提案した。本当なら、雪が寝付く前にくららの家へ迎えに行ければいいのだが、今の状況ではそれはできない。かといって、二十四時間くららに頼りっぱなし、というのも申し訳ない。申し訳ない、というより、そういうことが、ただ、珊瑚はいやなのだった。つくづくかわいげがないと思う。考えたあげく、当面店の二階で寝泊まりすることにした。自分の生活臭のようなものが、店の雰囲気を壊すことを恐れ、今までそれはせずにいたのだが、とりあえずの緊急措置として、やってみることにした。そうすれば、少なくとも雪の泣き声が及ぼす近所迷惑を気にすることの負担からは免れられる。

毎日が緊急措置と試行錯誤、それから珊瑚の本音では「その場しのぎ」の連続だった。店の方は、旬を迎える野菜の変化に合わせて新しいメニューを考えなければならない時期に来ていた。定番のおかずケーキはなにがあっても不動の人気を誇るたのもしさだったが、それとても、そもそものおかずがあって成り立つ、いわば副産物メニュー、寄生メニューとでも呼べるようなものだから、肝心の「そもそものおかず」だけはしっかりしたものにしておかなければならなかった。新しいバイトも二人入ってきて、それを機に、店の営業時間を深夜までに延ばした。営業時間を延ばした結果、どれだけの増収があるのか、それが払わなければならない賃金に見合うものなのかどうかは、まったくの賭《か》けだった。だが珊瑚自身は、今までより早く店を退くことにして、それで雪との生活も少し安定し、アパートに戻ることができた。深夜、店がにぎわうということはなかったが、朝と同じようにその時間帯の固定客はついたようだった。固定客がついたということは、この店を必要としてくれる人々がいるということだった。夜が更けてから総菜を買って帰る勤め帰りの客も、少しずつ増えてきた。

美知恵からその後連絡はないけれど、いつか彼女が訪ねてきそうな気がする。どう展開するか全く分からない人間関係だけれど、不思議にそんな気がしている。少なくとも美知恵は、いつだって率直だった。表面だけにこやかに接し、裏で足を引張るようなことはしなかった。どう展開するか分からない、というのは、泰司や泰司の母、それに時生たちともまったく同じだ。何かの信者になったらしい母親もまだ訪ねてこないけれど、彼女も近いうちに店にやってきそうな気がする。母はこの店に入って、ほっとすると思ってくれるだろうか。母に喜んでもらいたい。それはどうにも止めようのない思いだから、認めるしかない。けれど、母にそう思ってもらえなくても、それはそれで仕方がないことだ。

すべてのことに解決がつかないまま、けれど生活はそんなことはお構いなしに次から次へと続いていく。朝が来て夜が来て確実に日々は流れる。

珊瑚はいつものように夕方、雪を迎えに行き、ふとくららの家の庭先の木のうろに目を留めた。

「この木、すごいですね。今まで気づかなかったけど」

「外側の皮一枚で、持ってたんですねえ」

「木ってね、言ってみれば、皮膚を内側にして、内臓が外についているようなものなんです。筒を、くるって裏返して、中表にしたみたいなものなの。だから、木にとって大事なのは外側。いろんな器官は外についているから、内側は空っぽでもだいじょうぶなんです、もともと。うろを抱えていても生きて行ける、ってことですね」

そう言ったくららの横顔を、珊瑚は改めて見た。くららは何もかも知っているようで、でも何も知らないようでもあった。そうなんですか、と珊瑚は小さな声で呟《つぶや》いた。

「そういえば、店の庭に棲《す》んでるタヌキ、どうも、庭の真ん中辺りの木の根っこのところに棲んでるみたいなんです。この間、なんと、子どもを連れて出てきたんです。感動しました」

「まあ」

「かわいかったですよ、子どもが三匹、あと両親」

「まあ。見たいわ」

「今夜、行ってみてください。由岐さんがいますから、手引きしてくれます」

「タヌキの家族に会うなんて、初めて」

　くららは目を輝かせた。それが、ほんとうにうれしそうで、珊瑚は思わず、

「くららさんって、つくづく不思議な人ですね」

「自分ではそう思ったことはないけれど、でも、誰だって不思議な人よ。生きてるってのが、そもそも不思議なことと」

　まあ、それはそうなんだけど。珊瑚の苦笑にくららは、

「そうそう、貴行のところのウィトゲンシュタインも仔猫《こねこ》産んだんですって」

「へえ」

　珊瑚は、無愛想で「鳴いたことがない」という猫のウィトゲンシュタインの姿を思い浮かべた。雌だったのか。

「貴行が仔猫に触ろうとしたら、初めて鳴いたんですって。威嚇されたんだろうって思うけど」

「……すごいなあ……」

　珊瑚は思わず首を振り、目を閉じた。あの、世の中の何に対しても無関心そうだった猫が……。種の境を越えた強い共感が、ウィトゲンシュタインに対して湧き起こった。

「それといっしょに言うのも何だけど、今日、雪ちゃんがまたしゃべったのよ」

　くららは雪に、自分のことを「くぅさん」と呼ばせている。先日、雪が「ママ」の次に「くたん」と言えるようになって、くららは大感激した。それが今日、雪が初めて二語文をしゃべったというのである。

「『ごはん、おいちいね』って言ったの。宝石姫の口からこぼれ出た、宝石のようだった」

　けれど珊瑚は半信半疑だった。

「意味が分かって言ってるんでしょうか」

「それは正直言って分からない。いつも私がごはんのときに言ってることの、おうむ返しみたいでもあったけど、でも、そう言ったの」

　宝石姫だなんて。くららさんは雪には甘いから、雪のやることはなんでも意味があるように思うのだ。帰り道、珊瑚は苦笑しながらそう思った。が、その夜、那美と三人で

食事をしているときだった。雪は珊瑚の作った白菜と貝柱のクリーム煮を食べながら、

「ごあん、おいちぃ。おいちいねえ」

と、楽しそうに繰り返したのだった。明らかに、食事を味わって、喜んでいた。その小さな体中の細胞が、歓喜に満ちているようだ。紅潮した頬がはち切れそうだ。くららさんは正しかった。なんてかわいいのだろう。世界中にこんなかわいい子がほかにいるだろうか。思わず那美と目を見合わすと、那美も感激の面持ちで雪を覗《のぞ》き込むようにして、

「そうだね、雪。ごはんって、なんておいしいんだろうね」

「ああ、ちゃーちぇねえ」

と雪は重ねて言った。

ちゃーちぇ、が、「幸せ」だと気づくと、それがくららのおいしいものを食べたときの口癖だと分かっていても、珊瑚は胸を打たれた。そうだね、と言おうとして、言葉にならなかった。ほら、涙腺《るいせん》が緩んでるよ、と、いつものように那美が目ざとく指摘した。その間、雪はサトイモの含め煮をスプーンにのせ、自分で口に運んだ。そしてもぐもぐと口を動かした後、呑《の》み込むと、楽しそうに体を揺らし、歌うように繰り返した。

「おいちいねえ、ああ、ちゃーちぇねえ」

解説　食べることで人は復興する

平松洋子

入念な企《たくら》みのあるビルドゥング・ストーリーだ。企みという言葉がこの無垢《むく》な空気を湛《たた》えた『雪と珊瑚と』にふさわしくなければ、試みといい換えるべきだろうか。絶望的な困難に見舞われたとき、わたしたちは生きる力を何によって与えられるのか。『雪と珊瑚と』はこの根源的な問いにひとつの答えを見出そうとする。

あらかじめ、物語にはシンプルな道が敷かれている。離婚した二十一歳のシングルマザー、珊瑚《さんご》が生後七ヶ月の娘、雪を抱え、関わりのできた周囲のひとびとの力を借りてカフェを開き、しだいに自立してゆく姿はまさにビルドゥング・ストーリーの主人公にふさわしいのだが、待てよ、と思う。

物語の冒頭、雪を預かってもらえる保育園も託児所も見つからなくて途方に暮れて泣きながら見知らぬ路地を歩いているところへ、あたかも蜘蛛《くも》の糸のように小さな貼《は》り紙が出現する。

「赤ちゃん、お預かりします」

社会からはじき出されかけた弱者の目前に差し出された、ひとつめの助けの手。つづけて、ひとのいい店主夫婦が経営するパン屋での働き口、企業資金の融資、緑ゆたかな樹林に囲まれた無人の物件との出合い、カフェのオープン、駅ビルからの出店誘致……店を持ちたいと願う女性ならだれもが一度は夢見る、いってみれば典型的な展開なのだ。だからこそというべきか、そこに確信的な企てのありかを感じる。

いや、展開の波に乗るのがビルドゥング・ストーリーのおもしろみだろうと片づけるのは早計だ。女性が描く夢としてはあまりに理想的、現実としてはあまりに順風満帆。そのような典型を用意することで、ぎゃくに寓意《ぐうい》がくっきりと浮き彫りにされて強度を獲得しており、主題を描き尽くすための梨木香歩の企みをそこにみる。

母に「愛されてない」という実感を植えつけられて育った珊瑚が本能的に嗅《か》ぎわけていたもの、それが本書の主題「食べものがひとにもたらす復興力」である。

「成分表には載らない栄養素もある。それが欠けては、何かが致命的になる栄養素が」どんな絶望的な状況に立たされても、ひとは一杯のあたたかなスープや食べものを得ることで立ち上がることができる──このたくましくも力強い恩寵《おんちょう》をもたらすのが、「赤ちゃん、お預かりします」の貼り紙の主、くららの存在だ。かつて外国の修道院に暮らしていたというくららがつくる小玉ねぎのスープ。おかずケーキ。だいこんのゆで汁のだし。菜っ葉と油揚げの和《あ》えもの。ひとのいのちに直接働きかける食べものとはなにか。この困難な時代に置かれたわたしたちの心身に浸潤し、生きて食べることの普遍的な意味を訴えかけてくる。

食べものを通じて物語にぬくもりが生まれ、ひとの繋《つな》がりにも厚みがくわわってゆく。宗教施設に住み、いまだ理解の糸口さえ見つけられない母。つかみどころのない別れた夫。故意に悪意を突きつけてくる知人。しかし、いますぐ解決はつかなくても今日の生活は前へ進む、その事実に励まされる。歯が生えはじめたばかりのいたいけな雪にしても、この先どんな親子関係が待ち受けているのか、だれにもわからない。しかし、読む者は気づくはずだ。きっとだいじょうぶ。わたしたちは「成分表には載らない栄養素」を持っているから。

物語のさいごに置かれた雪の言葉が珠玉の輝きを放つ。

「おいちいねえ、ああ、ちゃーちぇねえ」

ちゃーちぇねえ。幼子の無垢な言葉を、読者はこの世でもっとも貴いものとして受けとるだろう。本を閉じたあとも、音叉《おんさ》が空気を震わせるように、それはいつまでも胸中に響く。

本書は二〇一二年四月に小社より刊行された単行本を文庫化したものです。

雪《ゆき》と珊瑚《さんご》と

梨木香歩《なしきかほ》

平成27年 6月25日　初版発行
令和7年 2月10日　15版発行

発行者●山下直久

発行●株式会社KADOKAWA
〒102-8177　東京都千代田区富士見2-13-3
電話　0570-002-301(ナビダイヤル)

角川文庫 19168

印刷所●株式会社KADOKAWA
製本所●株式会社KADOKAWA

表紙画●和田三造

ISBN978-4-04-103010-3　C0193

◆◇◇